méthode de français

cahier d'exercices

Guy Capelle
Albert Raasch

Hachette
français langue étrangère

« **Avec plaisir** » **2** comprend :

- 12 émissions en cassettes vidéo
- un livre pour l'élève
- un cahier d'exercices
- deux cassettes sonores pour accompagner le livre
- une cassette sonore pour accompagner le cahier
- un guide d'utilisation

Photos et documents :
p.10 : © F. Boissière, © A.P. Neyrat ; p. 25 : H. Matisse, © galerie Louise Leiris ;
p. 30 : P. Picasso, © SPADEM

Carte :
page 57 : © Hachette

Réalisation, photocomposition : Studio Bérad et LJ2 Compo

« Avec plaisir »
En collaboration avec SWF, WDR, ORF, la télévision de la Suisse allemande et romande et les éditions Langenscheidt.

ISBN 2.01.011870.7

Introduction

Ce **cahier d'exercices** comprend onze chapitres correspondant aux émissions 14 à 24 d'« Avec Plaisir » 2, et aux onze premiers dossiers du livre.
Une **cassette sonore** accompagne ce cahier. Les exercices enregistrés sont indiqués par le signe .

Chacun des chapitres est divisé en **quatre parties** :

A Observez le film et vous comprendrez

Les **documents vidéo** introduisent, entre autres, un élément essentiel : la représentation de la réalité quotidienne qui fournit **un cadre authentique pour la communication**. L'apprenant devra d'abord observer et analyser cette réalité pour y trouver les éléments nécessaires à la compréhension des situations, des comportements gestuels et des mimiques des personnages, qui, à leur tour, aideront à la compréhension du langage.
Une série de questions est prévue à cet effet, qui viennent compléter les documents imprimés dans le livre.
Cette analyse est préalable au travail sur la langue. L'apprenant s'assure d'abord des significations culturelles et humaines des situations supports. Son étude pourra ainsi toujours se référer à des situations de communication authentiques.

B Exercez-vous

Cette section propose une série d'exercices, auto-correctifs pour la plupart (signe en marge). L'apprenant pourra s'auto-corriger immédiatement après avoir fait chaque exercice, et se demander pourquoi il a commis telle ou telle erreur.
Ces exercices complètent ceux proposés dans le livre. **Ils sont indispensables** pour acquérir une plus grande aisance et une plus grande correction dans l'expression.

C Et maintenant, communiquez

Il s'agit d'une nouvelle étape vers l'utilisation authentique du langage. C'est **l'aspect communicatif,** bien plus que l'acquisition des formes, qui **est ici privilégié.** Il est recommandé de faire certains de ces exercices par groupes.

D Étudiez les pages « Reportage »

Dans cette dernière section, les exercices portent soit sur le texte de l'interview, soit sur les documents qui l'accompagnent. **L'orientation** est **plus culturelle** que strictement linguistique.

A la fin de ce cahier, p. 103, **l'auto-correction** propose soit des réponses uniques, soit des réponses « possibles », soit des éléments que l'apprenant pourrait utiliser pour formuler ses propres réponses. **Ces pages pourront être détachées** sur le conseil du professeur.
Nous souhaitons que les exercices présentés dans ce cahier vous aident à apprendre **avec plaisir**.

14

Bienvenue sur la côte d'Azur !

A *Observez le film et vous comprendrez*

1 Observez la réaction des personnages.

a. Quand Martine, Laurent et Bernard vont le voir, Xavier est
☐ souriant/accueillant. ☐ impoli. ☐ indifférent.

b. Quand Xavier leur propose de travailler pour *Radio-Rivage,* Martine, Laurent et Bernar
☐ refusent. ☐ sont contents. ☐ demandent à réfléchir.

c. Quand Laurent voit le reportage sur les incendies de forêt, il
☐ ne se sent pas concerné. ☐ se sent triste. ☐ pense à autre chose.

d. Quand Bernard leur propose d'aller à la plage, Martine et Laurent
☐ acceptent immédiatement. ☐ se moquent de Bernard. ☐ disent nor

e. Quand ils entendent la voix de M. Duray à la radio, Martine, Laurent et Bernard
☐ sont fous de joie. ☐ sont très surpris. ☐ n'y croient pas.

2 Est-ce que vous avez remarqué...

a. ...quel est le slogan de *Radio-Rivage* ?

b. ...quel est le nom du journal que lisent les deux jeunes filles ?

c. ...ce que les jeunes prennent au café ?

3 **Revoyez l'épisode, lisez le texte du dialogue dans votre livre (pp. 7 à 10), et remplissez le tableau suivant.**

numéro de la scène	*lieux*	*personnages*	*ce qui se passe*
		Première partie du feuilleton	
1	en voiture, sur la promenade des Anglais.	Martine, Laurent et Bernard	Ils se promènent en voiture.
2	*flash-back :* au bureau de M. Duray à Lyon	Martine, Laurent, Bernard et M. Duray	M. Duray a annoncé une nouvelle à les trois journalistes.
3	en voiture	Martine, Laurent et Bernard	Certains moments de leur vie à Lyon leur reviennent en mémoire.
4	*flash-back :* au journal *Lyon-Matin*, à Lyon	Martine, Laurent, Bernard et M. Duray	
5	en voiture	Martine, Laurent et Bernard	
6	*flash-back :* à une terrasse de café, à Lyon	Bernard et une anglaise.	Il a fait connaissance avec une fille.
7	en voiture		
8	*flash-back :* dans l'appartement de Bernard, à Lyon		
9	en voiture		
10	au studio de *Radio-Rivage*	Xavier, Martine, Laurent et Bernard	
11	au bureau de *Lyon-Matin*, à Nice		
12	au bureau de *Lyon-Matin*, à Nice		
		Deuxième partie du feuilleton	
13	sur la plage	Sylvie et Virginie	Elles ont regardé le journal que s'appelle «Nice-Matin».
14	sur la plage	Martine, Laurent et Bernard	Ils se sont baigné
15	à la terrasse d'un café		
16	au bureau de *Lyon-Matin/Radio-Rivage*		
17	au bureau de *Lyon-Matin/Radio-Rivage*		
18	sur une colline déboisée		

4 **Souvenez-vous.**

a. Martine, Laurent et Bernard se sont installés à Nice
- ☐ parce qu'ils ne voulaient plus rester à Lyon.
- ☐ parce que *Lyon-Matin* a créé un bureau à Nice.

b. Les trois amis vont voir Xavier
- ☐ parce qu'ils le connaissent déjà.
- ☐ parce qu'ils cherchent un bureau à louer.

c. Xavier travaille
- ☐ pour une radio libre qu'il a créée.
- ☐ pour un grand journal de la côte d'Azur.

d. Quand les deux jeunes filles tendent le journal à Bernard sur la plage
- ☐ Bernard signe.
- ☐ Bernard ne signe pas.

e. M. Duray est venu de Lyon
- ☐ pour voir les incendies de forêt.
- ☐ pour réaliser une association avec *Radio-Rivage*.

f. A la fin du film, Bernard
- ☐ prend une pelle et aide les autres à planter les arbres.
- ☐ refuse de les aider et repart en moto.

5 **Quelles sont, d'après vous, les scènes les plus importantes de l'épisode ? les plus amusantes ?**

B *Exercez-vous*

6 **Retrouvez, dans le texte du dialogue, les mots et les expressions utilisés pour parler de personnages.**

a. Martine : ______________________

____

b. Laurent : ______________________

____

c. Bernard : ______________________

____

7 Éliminez l'expression ou le mot différent.

Exemple : présentateur – radio libre – technicien – producteur

a. incendie – feu – forêt – fumée
b. travailleur – sérieux – dynamique – jaloux
c. détruire – planter – brûler – ravager
d. organiser une campagne – écrire des articles – louer des bureaux – faire des reportages

8 Reliez les mots qui vont ensemble.

verbes	*noms féminins*
a. plaisanter	1. surprise
b. détruire	2. location
c. signer	3. naissance
d. surprendre	4. destruction
e. naître	5. plaisanterie
f. louer	6. signature

noms masculins	*verbes*
a. lancement	1. lier
b. ravage	2. intéresser
c. intérêt	3. retourner
d. retour	4. lancer
e. paiement	5. ravager
f. lien	6. payer

9 Complétez ce tableau.

verbes	*noms féminins*	*noms masculins*	*noms féminins*
présenter	présentation	présentateur →	présentatrice
rédiger	rédaction		
diriger			
organiser			
collaborer			
protéger			

10 Qu'est-ce qu'ils faisaient à Lyon ?

Mettez le verbe à la forme qui convient et dites si la phrase est vraie ou fausse.

			V/F
a.	être	Martine était déjà une journaliste professionnelle.	F
b.	habiter	Elle habitait un petit hôtel.	F
c.	avoir	Elle n'avait pas d'animaux dans sa chambre.	V
d.	sortir	Elle sortait souvent avec Laurent et Bernard.	V
e.	voir	Ils se voyaient même le dimanche.	
f.	faire	Ils faisaient des reportages ensemble.	
g.	apprendre	Elle apprenait son métier de journaliste.	
h.	aimer bien	Elle aimerait bien les deux garçons.	V

14

11 | Qu'est-ce qu'ils ont fait depuis leur arrivée ?

Mettez le verbe à la forme qui convient.

Exemple : arriver → Ils ***sont arrivés*** *il y a trois mois.*

a. chercher — Ils ______ des bureaux à louer.
b. s'installer — Ils ______ dans les locaux de *Radio-Rivage*.
c. faire — Ils ______ de la radio.
d. s'engager — Ils ______ à aider Xavier.
e. s'associer — M. Duray ______ avec Xavier.
f. organiser — Ils ______ une campagne pour la protection de la forêt.

12 | Écoutez et complétez le texte avec les verbes suivants :

commencer – être – voir – se mettre – essayer – venir – avoir – pouvoir – brûle

Un homme a vu un incendie détruire sa maison. Voici son témoignage.

Ça ______ à brûler sous la maison. J' ______ à l'intérieur avec ma femme et me deux filles. Soudain on ______ des flammes entrer par les fenêtres. Les meuble ______ à brûler. On ______ d'éteindre le feu. Des voisins ______ nous aider. On n' ______ pas d'eau. On n' ______ rien ______ faire Tout ______.

13 | Transformez ces gérondifs.

Exemple : En discutant, Martine et Xavier se sont mis d'accord.
= Quand ils ont discuté...

a. En allant voir Xavier, Martine, Laurent et Bernard espéraient louer des bureaux.
b. En aidant Xavier, ils ont appris une nouvelle technique.
c. En voyant le reportage sur les incendies de forêts, Laurent a eu une idée.
d. En regardant le journal, les deux jeunes filles ont cru reconnaître Bernard.
e. En commandant les consommations, Laurent pensait que Bernard allait payer.
f. En s'intéressant à *Radio-Rivage*, M. Duray a eu l'idée de l'association.
g. En faisant sa déclaration à *Radio-Rivage,* M. Duray savait qu'il allait surprendre se collaborateurs.

14 | Complétez les phrases avec les prépositions qui conviennent.

Exemple : Il est ***en*** *maillot de bain.*

a. Il n'a rien ______ écrire.
b. Il habite ______ la côte d'Azur.
c. Ils veulent faire un reportage ______ les incendies.
d. Commencez ______ faire ce reportage.
e. Laurent est ______ mauvaise humeur.
f. M. Duray tenait ______ garder le secret.
g. Il s'agit ______ une association.

15 Qu'est-ce qu'ils font ?

Faites correspondre ce que disent les personnages et ce qu'ils font.

a. « Pour les dépenses, on fait moitié-moitié. »
b. « Vous faites quoi, vous ? »
c. « Si vous m'aidez... vous paierez moins. »
d. « Duray, j'en fais mon affaire ! »
e. « Allez, mon vieux, signe. »
f. « Bravo, patron. C'est formidable ! »
g. « Tu te tais, tu prends une pelle... et tu nous aides. »

1. Martine donne un ordre.
2. Laurent encourage Bernard.
3. Martine rassure ses amis.
4. Martine fait un compliment.
5. Xavier fait une proposition.
6. Xavier s'informe.
7. Xavier propose de partager les dépenses.

16 Trouvez la question.

Exemple : Comment est Martine ? *C'est une femme de tête.*

a. ______________ Nous venons pour l'annonce.
b. ______________ 500 francs par mois.
c. ______________ Je vais en parler à Duray.
d. ______________ Il est de mauvaise humeur.
e. ______________ Ça le rend triste.
f. ______________ C'est à cause de vous.
g. ______________ Il faut en parler.

17 Qui va avec qui ?

Lisez ces petites annonces et formez deux couples possibles.

1. J.H., 28 ans, sérieux, travailleur, aimant voyager, fou de cinéma et de théâtre, cherche J.F. 20-25 ans, mêmes goûts, pour projets communs.

2. J.F., 30 ans, grande, blonde, yeux bleus, dynamique, aimant sport, musique, voyages, cherche homme 35-40 ans, sérieux, tendre, sportif, pour amitié sincère.

3. Jeune et jolie, brune aux yeux verts, 1,65 m, rêvant d'Hollywood, cherche un Delon 25-30 ans pour voyages à deux, en technicolor.

4. H., 37 ans, grand, allure sportive, bonne situation, aimant tennis, voile, équitation, cherche J.F. 25-35 ans pour partager loisirs.

18 Que pense M. Duray ?

Écoutez l'enregistrement et complétez les phrases.

a. En ______________ *Radio-Rivage*, j'ai découvert les radios libres.
b. En ______________ *Lyon-Matin* à *Radio-Rivage*, je renforce la position de *Lyon-Matin*.
c. En ______________ une radio libre, je remplis ma misson d'information.
d. En ne ___________ pas mes collaborateurs, je gardais l'information secrète.
e. En ______________ souvent à Nice, je peux leur donner des idées de reportage.

C Et maintenant, communiquez

19 **Écrivez un avis de recherche pour ces personnes qui ont disparu.**

On recherche jeune fille, 17 ans,...

20 **Vous n'aimez pas M. Duray. Décrivez-le à un de vos amis.**

21 **En vous aidant de votre dictionnaire, associez ces mots deux par deux pour créer des expressions :**

fort	âne
malin	carpe
têtu	oie
gai	singe
muet	bœuf
bête	pinson
lent	renard
doux	pie
rusé	escargot
bavard	agneau

Exemple : gai comme un pinson

22 **Que nous apprend l'épisode sur les personnages ?**

Reprenez les adjectifs utilisés au début de l'épisode pour décrire les personnages et trouvez des exemples de leurs traits de caractère.

Exemple : Laurent est sérieux. C'est lui qui, le premier, est préoccupé par les incendies de forêt.

23 **Un étudiant, ou un groupe d'étudiants, pense à un personnage très connu. Les autres étudiants posent des questions pour essayer de deviner son identité.**

Attention : Vous n'avez droit qu'à des questions appelant la réponse *Oui* ou *Non*.

Exemple : « C'est une femme ? »

24| **Vous êtes Bernard. Vous racontez ce qui s'est passé sur la plage en ajoutant des faits qui vous avantagent. Votre partenaire, qui joue le rôle de Laurent, vous interrompt pour rétablir la vérité.**

25| **Jeu de rôle.**

Vous voulez obtenir l'autographe (= la signature) d'une personnalité très connue. Cette personne refuse et trouve des excuses. Vous insistez...

26| **Xavier écrit une lettre personnelle à M. Duray pour le remercier.**

a. Aidez-le à trouver des idées.

Exemples : – *Xavier est très heureux d'accueillir M. Duray à* Radio-Rivage.
– *C'est un grand honneur pour* Radio-Rivage *et pour lui.*
– *Cela donne à sa radio libre de nouvelles possibilités, de nouveaux horizons.*
– *La déclaration de M. Duray a été très remarquée...*

b. Sélectionnez les meilleures idées et classez-les.

c. Écrivez la lettre. Attention à la présentation !

> lieu et date
>
> *Monsieur le Directeur*
>
> texte de la lettre
>
> formule de politesse : *Veuillez agréer, Monsieur le Directeur, l'expression de mes sentiments distingués.*
>
> signature

d. Relisez soigneusement, corrigez les fautes (orthographe, temps des verbes, ponctuation...) et recopiez.

27| **Écoutez le texte sur les radios libres.**

Écoutez le texte une deuxième fois et prenez des notes en complétant les phrases.

a. Le mouvement a commencé dans les années ____________.

b. Les radios libres sont autorisées en France depuis le ____________.

c. Il y en a maintenant ____________.

d. Elles se divisent en ____________.

e. Aujourd'hui, ces radios sont obligées de ____________.

28| **Pourquoi les gouvernements veulent-ils réglementer et limiter les radios libres ?**

29| **Comparez la situation des radios libres en France avec ce qui existe dans votre pays.**

D Étudiez les pages « Reportage »

30 **Écoutez l'interview de M. Bietta, garde forestier dans l'Esterel, prenez des notes, et dites (ou écrivez) ce que vous avez appris du métier de garde forestier.**

31 **Relevez tous les mots ou expressions qui évoquent ou décrivent le feu dans ces deux pages.**

32 **Quels conseils pouvez-vous donner à une famille qui va camper en forêt ?**

33 **Lisez la lettre de Napoléon et remplissez le tableau.**

Qui écrit ?	
À qui ?	
Au sujet de quoi ?	
Quand et où ?	
Dans quel but ?	

34 **Faites correspondre les expressions de sens équivalent. Utilisez votre dictionnaire.**

a. Des incendies ont éclaté...
b. forfait
c. fusiller
d. individus
e. convaincus
f. au surplus
g. s'ils se renouvelaient
h. Je veillerai à...

1. si d'autres incendies éclataient
2. Je ne manquerai pas de/ Je ferai en sorte de...
3. coupables
4. de plus
5. passer par les armes
6. personnes
7. crime
8. plusieurs feux se sont déclarés...

35 **Que fait Napoléon dans sa lettre ?**

La première phrase est ☐ un ordre ☐ une constatation ☐ une requête
La deuxième phrase est ☐ un conseil ☐ une menace ☐ un ordre
La troisième phrase est ☐ un avertissement ☐ une menace ☐ une promesse

Comme ça sent bon !

A Observez le film et vous comprendrez

1 Observez la réaction des personnages.

a. Quand M. Duray téléphone pour réclamer le reportage sur les parfums, Bernard est
☑ gêné. ☐ tout à fait à l'aise. ☐ agressif.

b. Quand Bernard lui demande de l'aider, Laurent
☐ se met en colère. ☑ refuse tout net. ☐ demande à réfléchir.

c. Quand Martine se rend compte que Bernard sent le parfum, elle
☐ reste calme. ☐ quitte la pièce. ☑ se met en colère.

d. Quand Bernard demande à Laurent de dire à Martine qu'il était en reportage, Laurent
☑ fait semblant de ne pas comprendre. ☐ dit que non.
☐ dit qu'il n'est pas au courant.

e. Quand Bernard demande à Mlle Fontana ce qu'elle fait d'une si grosse voiture, elle
☐ se fâche. ☑ se met à rire. ☐ ne répond rien.

f. Quand Bernard fait cadeau d'un flacon de parfum à Martine, elle
☐ ouvre le paquet et se parfume. ☐ questionne Bernard.
☑ lance le flacon contre le mur.

2 Souvenez-vous.

a. Bernard part à Grasse seul (toute suite)
☑ parce que M. Duray veut le reportage immédiatement.
☐ parce que ce n'est pas son tour de passer à l'antenne.

b. Laurent ne va pas à Grasse avec Bernard
☐ parce qu'il n'aime pas travailler avec Bernard.
☑ parce que c'est son jour de repos.

c. Mlle Fontana donne un rendez-vous à Bernard pour le lendemain
☐ parce qu'elle veut s'occuper de lui personnellement.
☑ parce qu'il ne reste pas assez de temps pour faire la visite.

d. Laurent ne dit pas à Martine que Bernard était en reportage
- ☐ parce qu'il n'était pas au courant.
- ☑ parce qu'il veut faire une farce à Bernard. (faire une plaisanterie)

e. Mlle Fontana conduit très vite
- ☐ parce qu'elle est pressée.
- ☑ parce que c'est sa manière de conduire.

f. Martine se fâche contre Bernard
- ☐ parce qu'il ne travaille pas assez.
- ☑ parce qu'elle est un peu jalouse.

3 **Revoyez l'épisode, lisez le texte du dialogue dans votre livre (pp. 19 à 22), et remplissez le tableau suivant.**

numéro de la scène	*lieux*	*personnages*	*ce qui se passe*
	Première partie du feuilleton		
1	au studio de *Radio-Rivage*		
2	au bureau de *Lyon-Matin*		
3	au studio de *Radio-Rivage*		
4	dans l'appartement de Bernard et Laurent		
5	à Grasse, à la parfumerie Molinard		
6	à Nice, au bureau		
	Deuxième partie du feuilleton		
7	à Grasse, à la parfumerie Molinard		
8	dans la jeep de Mlle Fontana		
9	dans la jeep		
10	devant le champ de lavande		
11	dans la jeep		
12	à la parfumerie		
13	au bureau de Nice		

4| **Est-ce que vous avez remarqué...**
a. ...si l'appartement de Laurent et de Bernard est en désordre ?
b. ...quelles sont les plantes dans le champ ?
c. ...avec quoi Mlle Fontana fait sentir les parfums à M. Langlois, le « nez » ?

5| **Quelles sont, d'après vous, les scènes les plus importantes de l'épisode ? les plus amusantes ?**

6| **Quand ont-ils dit ces phrases ?**
Aidez-vous du tableau de l'exercice 3 pour citer le numéro de la scène, dites le nom du personnage qui parle, et décrivez brièvement la situation.
Exemple : « Je me débrouillerai tout seul comme d'habitude. »
Bernard – scène 4 – Laurent vient de refuser de l'accompagner à Grasse.

a. « C'est moi qui fais tout ici ! »
b. « Je suis morte de fatigue ! »
c. « Je ne fais que passer... »
d. « Tu me paieras ça, toi ! »
e. « C'est bien ça, c'est du citron vert. »
f. « Si tu crois t'en tirer avec un cadeau ! »

B *Exercez-vous*

7| **Reliez les éléments ci-dessous deux à deux pour retrouver des expressions du texte.**

a.	secret	1.	service
b.	jour	2.	de fatigue
c.	faire	3.	de plus simple
d.	du début	4.	de rien
e.	mort	5.	de repos
f.	rendre	6.	le ménage
g.	n'être au courant	7.	bien gardé
h.	quelque chose	8.	à la fin

8| **Éliminez l'expression ou le mot différent.**
a. fabriquer – se débrouiller – composer – faire vieillir
b. extrait – odeur – essence – ménage
c. se documenter – faire un article – conduire – rédiger
d. tout de suite – demain matin – aujourd'hui – en direct
e. studio – flacon – antenne – micro

15

9 **Complétez les phrases avec les prépositions qui conviennent, si nécessaire.**

Laurent n'est pas content. Bernard ne l'aide pas ___à___ faire le ménage. Il ne s'occup ___de___ rien. Il ne s'intéresse pas ___à___ l'appartement.
Pour s'amuser, Laurent dit ___à___ Martine qu'il n'est au courant ___de___ rien.
Pour commencer l'histoire du parfum ___par___ le commencement, Mlle Fontana emmèn Bernard chez un horticulteur. La fabrication d'un parfum consiste ___à___ choisir des essences, car un parfum se compose ___de___ plusieurs essences. Un « nez » est capabl ___de___ reconnaître la différence entre les odeurs. Un bon parfum ne ressemble ___à___ aucun autre.

10 **Ajoutez l'adverbe (formez-le à partir de l'adjectif proposé)**

Exemple : (actuel) Il y a actuellement beaucoup de touristes sur la Côte.

a. (exact) Qu'est-ce qui vous intéresse __________ chez nous ?
b. (personnel) Je pourrai m'occuper de vous __________.
c. (doux) Conduisez plus __________.
d. (absolu) C'est __________ vrai.
e. (lent) Il conduit très __________.
f. (rapide) Elle travaille __________.

11 **Vous n'êtes pas au courant ? Vous êtes surpris.**

Exemple : Rendez-moi le journal. Quel journal ?

a. Donnez-moi le flacon. __________.
b. Passez-moi les fleurs. __________.
c. Apportez-moi l'extrait. __________.
d. Envoyez-moi le texte du reportage. __________.
e. Rendez-moi le parfum. __________.
f. Redonnez-moi l'atomiseur. __________.

12 **Qu'est-ce qu'ils faisaient ?**

Complétez les phrases.

a. Quand M. Duray a téléphoné, Martine __________
b. Quand Bernard est entré dans l'appartement, Laurent __________
c. Quand Bernard est arrivé à la parfumerie, Mlle Fontana __________
d. Quand Mlle Fontana a conduit la jeep, Bernard __________
e. Quand ils sont arrivés dans les champs de fleurs, M. Orsini __________
f. Quand Bernard est revenu au bureau, Martine __________

13 Vous demandez des précisions.

Exemple : Je cherche la parfumerie. Laquelle ?

a. Duray veut le reportage. __________.
b. Je vais voir une jeune femme qui travaille à la parfumerie Molinard. __________.
c. Rapporte-moi un parfum. __________.
d. J'ai pris les flacons. __________.
e. Il a reconnu des odeurs. __________.
f. J'ai acheté les cadeaux. __________.
g. Ce parfum se compose de plusieurs essences. __________.
h. Il cultive des fleurs. __________.

14 Donnez les précisions demandées à l'exercice 13.

Exemple : Je cherche la parfumerie. Laquelle ? La parfumerie Molinard.

a. __________
b. __________
c. __________
d. __________
e. __________
f. __________
g. __________
h. __________

15 Qu'est-ce qu'ils font ?

Observez les situations présentées dans le film.
Faites correspondre ce que disent les personnages et ce qu'ils font.

a. « Je ne peux pas. Elle est en direct à l'antenne. »
b. « Ce reportage, je l'attends toujours ! »
c. « Il me faut ce reportage pour jeudi soir. »
d. « Quel reportage ? »
e. « Tu pourrais m'aider, non ? »
f. « Vous pouvez faire quelque chose pour moi ? »
g. « Le coup du reportage, tu me l'as déjà fait ! »
h. « Tu me paieras ça, toi ! »

1. Laurent demande une précision.
2. Laurent fait un reproche.
3. Bernard demande de l'aide.
4. Martine exprime sa colère.
5. M. Duray montre son impatience.
6. Bernard fait une menace.
7. Bernard donne une raison.
8. M. Duray exprime une exigence.

16 Trouvez la question.

Exemple : Laquelle ? *La première parfumerie à droite.*

a. ______________________ Aujourd'hui même.
b. ______________________ Le reportage sur les parfums.
c. ______________________ Pas question.
d. ______________________ Celle que tu m'as conseillée.
e. ______________________ Oui, très bien.
f. ______________________ Promis.

17 Complétez le tableau.

Il y en trois ?	Il y en a combien ?	Combien y en a-t-il ?
Le reportage sur la pêche.		
Il y est allé pour lui rendre service.		
Il faut des milliers de fleurs.		
Nous prenons rendez-vous pour demain.		
Il reconnaît les essences en sentant les odeurs.		
Les parfums s'améliorent en vieillissant.		

18 Répondez en marquant votre impatience.

Exemple : C'est le reportage sur les parfums ? « Oui, c'est celui sur les parfums. ou « Oui, c'est celui-là. »

a. C'est la parfumerie que je t'ai indiquée ?
b. C'est l'article qu'il a écrit ?
c. Ce sont les parfums qu'il a achetés ?
d. Ce sont les fleurs qu'il t'a données ?
e. C'est la voiture de la parfumerie ?
f. C'est le parfum qui a dix ans d'âge ?
g. C'est le cadeau qu'il lui a fait ?
h. C'est le parfum de Mlle Fontana ?

9| **Répondez en employant celui/celle/ceux/celles...**

Exemple : Quel article ? *Celui sur les parfums.*

a. Quel parfum ?
b. Quelle voiture ?
c. Quelles fleurs ?
d. Quels flacons ?
e. Quelle jeune femme ?
f. Quels secrets ?
g. Quel extrait ?
h. Quelles informations ?

0| **Qu'est-ce que vous voulez ?**

Exemple : Il y a trop de mauvaises photos !
Je veux moins de mauvaises photos.
(ou) Il n'y a pas assez de bonnes photos.
(ou) Je veux plus de bonnes photos.

a. Cet article n'est pas assez simple.
b. Ce reportage n'est pas assez long.
c. Il y a trop d'informations régionales.
d. Il y a trop de reportages.
e. Ce texte est trop difficile.
f. Ce travail est trop fatigant.
g. Il n'y a pas assez de flacons.
h. Ce parfum est trop fort.

1| **Commentez ce tableau.**

nationalité des touristes	*nombre*	
	en 1986	*cette année*
Allemands	20 000	20 000
Américains	12 000	15 000
Anglais	3 200	3 000
Belges	2 500	2 200
Espagnols	1 800	1 600
Italiens	5 200	5 000
Suisses	1 600	1 200

Exemple : Il y a autant de touristes allemands cette année qu'en 1986.

2| **Écoutez et complétez le texte.**

Tu as fait ce reportage ? ____________ ? Tu sais bien, ____________ Duray veut pour jeudi. ____________ sur la pêche ? Non, pas ____________, l'autre, ____________ sur les parfums. Bon, j'ai déjà pris contact avec une parfumerie. Ah, ____________ ? La parfumerie Molinard. D'accord, c'est bien ____________ nous avions choisie. J' ____________ voir Mlle Fontana demain. Mlle Fontana, ____________ s'occupe des relations publiques ? Oui, j'ai rendez-vous avec elle à ____________ heures. Alors, bonne chance.

C Et maintenant, communiquez

23 Faites des reproches.

Imaginez les reproches que vous pourriez faire dans les situations suivantes.

Exemple : Votre ami(e) vous apporte un article qui n'est pas bon.
Vous dites, par exemple : « Je veux un meilleur article ! »

a. Votre ami(e) refuse de vous aider.
b. Votre ami(e) vous laisse faire tout le travail.
c. Votre ami(e) vous a déjà donné la même mauvaise excuse plusieurs fois.
d. Votre ami(e) vous offre un cadeau pour calmer votre colère. Vous n'en voulez pas.
e. Votre ami(e) ne vous laisse jamais tranquille.
f. Votre ami(e) conduit trop vite et vous avez peur.
g. Votre ami(e) vient de casser un flacon de parfum.

24 Qu'est-ce qu'ils veulent dire ?

Trouvez une expression équivalente pour expliquer.

Exemple : Bernard à M. Duray : « On a beaucoup de travail en ce moment. »
« On n'a vraiment pas pu faire ce reportage. »

a. Bernard à Laurent : « Eh... ça va ! Ça va ! »
b. Mlle Fontana à Bernard : « Promis. »
c. Bernard à Laurent : « Tu me paieras ça, toi ! »
d. Martine à Bernard : « Le coup du reportage, tu me l'as déjà fait ! »
e. Bernard à Martine : « Ça ne va pas recommencer ! »
f. Bernard à Martine : « Allez donc rendre service ! »

25 Martine écrit une lettre de remerciements à Mlle Fontana.

a. Recherchez des idées.
Exemples : – Bernard a été enchanté de l'accueil.
– Grâce à elle, le reportage a été prêt à temps.
– Martine apprécie sa compétence.
– Elle la remercie.
b. Organisez vos idées.
c. Écrivez la lettre. Attention à la présentation.

26 Que vous a appris cet épisode...

a. ... sur les rapports entre M. Duray et ses collaborateurs ?
b. ... sur Martine ?
c. ... sur Laurent ?
d. ... sur Bernard ?

7 **Bernard raconte sa deuxième visite à la parfumerie Molinard.**
Il transforme un peu l'histoire à son avantage pour avoir le beau rôle. Quelqu'un l'interrompt chaque fois pour rétablir la vérité.
Pour couper la parole, utilisez des expressions comme :
– « Ah, non, tu permets !
– Mais non, voyons, ça ne s'est pas passé comme ça !
– Je t'en prie, Bernard, dis la vérité... »

8 **Écoutez le texte sur l'histoire des parfums.**
Écoutez le texte une deuxième fois et prenez des notes en complétant les phrases.

a. Dans l'Antiquité, les élégantes ______________________________.

b. Alexandrie était un centre ______________________________.

c. Les Croisés qui allaient se battre en Terre sainte ______________________________.

d. Au Moyen Âge ______________________________.

e. En France, c'était les maîtres gantiers qui ______________________________.

f. Au XVIIIe siècle, Grasse et l'Espagne ______________________________.

g. Actuellement, Grasse a ______________________________.

9 **Jeu de rôle.**
Une étudiante joue le rôle de Martine, un étudiant celui de Laurent.
Martine critique ce qu'a fait Bernard, Laurent défend Bernard.
Début possible :
« Je ne ferai plus confiance à Bernard ! Tu sais ce qu'il a fait aujourd'hui ? ... »

10 **Jeu de rôle.**
Un(e) étudiant(e) (A) demande un service à son ami(e) (B).
B essaie de refuser et donne des raisons. A insiste. B ne veut pas se laisser convaincre.

D Étudiez les pages « Reportage »

1 **Écoutez l'interview de M. Gazagnaire, horticulteur, prenez des notes et dites ce que vous avez appris sur la culture des fleurs.**

2 **Quels conseils pourriez-vous donner à une femme pour choisir son parfum ?**

16

Vrai ou faux ?

A Observez le film et vous comprendrez

1| Observez la réaction des personnages.

a. Quand Laurent et Bernard s'adressent au peintre, celui-ci
☐ fait semblant de ne pas entendre. ☐ répond aimablement. ☐ se fâch

b. Quand ils voient ce que peint Sarah, Laurent et Bernard
☐ expriment leur admiration. ☐ essaient de cacher leur gêne.
☐ parlent d'autre chose.

c. Quand Laurent et Bernard s'adressent au faussaire, il
☐ part sans rien dire. ☐ refuse de répondre. ☐ se montre très aimabl

d. Quand Laurent voit les tableaux de maîtres dans la villa, il
☐ n'en croit pas ses yeux. ☐ est un peu étonné. ☐ trouve ça normal

e. Quand Laurent et Bernard expriment leur découragement, Martine
☐ les encourage. ☐ se moque d'eux. ☐ leur exprime sa sympathie.

f. Quand Martine propose cinq cents francs pour le faux Matisse, le directeur de la galer
☐ a peur. ☐ a l'air offensé. ☐ lui donne le tableau.

2| Souvenez-vous.

a. Le peintre ne peint que la mer
☐ parce qu'il ne sait pas peindre autre chose.
☐ parce que les touristes ne veulent que ça.

b. Devant le tableau de Sarah, Laurent dit que c'est très intéressant
☐ parce qu'il le pense.
☐ parce qu'il ne sait pas quoi dire.

c. Laurent et Bernard suivent le faussaire
☐ parce qu'il n'a pas voulu répondre à leurs questions.
☐ parce qu'ils le trouvent bizarre.

d. Ils soupçonnent le jeune homme d'être un faussaire
- ☐ parce qu'ils le voient peindre un Matisse.
- ☐ parce qu'il a beaucoup de toiles de maîtres.

e. Les journalistes ne disent rien à la police
- ☐ parce qu'ils n'ont pas de preuves.
- ☐ parce qu'ils veulent faire leur propre enquête.

f. Martine dit au directeur de la galerie que le tableau est un faux
- ☐ parce qu'elle ne veut pas que la dame le paie un million.
- ☐ parce qu'elle veut démasquer publiquement le faussaire.

g. Martine dit au faussaire qu'elle ne le dénoncera pas
- ☐ parce qu'il veut donner un tableau à Bernard.
- ☐ parce qu'il promet d'arrêter son trafic.

3 **Revoyez l'épisode, lisez le texte du dialogue dans votre livre (pp. 31 à 34), et remplissez le tableau suivant.**

numéro de la scène	*lieux*	*personnages*	*ce qui se passe*
	Première partie du feuilleton		
1	chez Martine		
2	dans la vieille ville d'Antibes	Laurent, Bernard, le peintre	
3	dans la vieille ville d'Antibes	Laurent, Bernard, la jeune fille	
4	dans la vieille ville d'Antibes	Laurent, Bernard, le jeune homme	
5	en voiture		
	Deuxième partie du feuilleton		
6	devant la villa du jeune homme		
7	au bureau		
8	dans le vieil Antibes		
9	au bureau		
10	à l'exposition de tableaux		
11	à la villa du faussaire		

4| **Est-ce que vous avez remarqué...**

a. ... qui conduit la voiture quand Laurent et Bernard suivent le jeune homme ?
b. ... qui se retrouve encadré par le faux Matisse après la mêlée générale ?
c. ... qui immobilise le faussaire ?

5| **Quelles sont, d'après vous, les scènes les plus importantes de l'épisode ? Les plus amusantes ?**

6| **Quand ont-ils dit ces phrases ?**

Aidez-vous du tableau de l'exercice 3 pour citer le numéro de la scène, dites le nom du pe sonnage qui parle et décrivez brièvement la situation.

Exemple : « Idiot, tu vois bien que ce sont des reproductions ! »
Martine – scène 1 – Laurent ne peut pas croire que les tableaux de Marti sont authentiques !

a. « Mais pas pour *Radio-Rivage*, pour *Lyon-Matin* ! »
b. « C'est Sarah ! Elle est fada. »
c. « Il est bizarre ce type, tu ne trouves pas ? »
d. « ... Il n'y a pas de chien au moins ? »
e. « Mais qu'est-ce qui vous prend, mademoiselle ? »
f. « Vous allez me dénoncer ? »

B Exercez-vous

7| **Reliez les éléments ci-dessous deux à deux pour retrouver des expressions du texte.**

a. un réseau	1. une vie honnête
b. se rendre	2. sa parole
c. éveiller	3. de cette qualité
d. mener	4. de ses affaires
e. un tableau	5. les soupçons
f. s'occuper	6. de revendeurs
g. donner	7. compte

Éliminez l'expression ou le mot différent.

a. démarrer – freiner – reproduire – s'arrêter
b. flic – faussaire – détective – police
c. encadrer – peindre – exposer – dénoncer
d. soupçon – galerie – toile – musée
e. peintre – maître – trafic – artiste
f. au fond – derrière – sur – dessous

Complétez les phrases avec les prépositions qui conviennent.

Ça ne dérange pas Laurent __________ faire le reportage sur les peintres de la Côte. Mais que pense Bernard __________ cette idée ? Rien de bien au début, mais il se met vite __________ travail. Laurent et Bernard se rendent rapidement compte __________ la bizarrerie du jeune peintre. Ils le suivent, puis ils s'approchent __________ sa maison. Elle est pleine de tableaux de maîtres ! Alors ils se transforment __________ artistes, __________ touristes, __________ passants, pour le suivre partout. Après quelques jours, ils commencent __________ douter __________ leurs soupçons. Mais ils finissent __________ démasquer le faussaire, et ils lui conseillent __________ peindre ses propres œuvres.

Qu'est-ce que vous dites ?

Employez le pronom EN.

Exemple : Vous êtes sûr(e) de ce que vous affirmez. Vous dites : « J'en suis sûr(e). »

a. Vous offrez cinq cents francs pour un tableau.
b. Vous vivez de votre peinture.
c. Vous revenez d'une promenade.
d. Vous sortez d'un musée que vous venez de visiter.
e. Vous vous servez tous les jours de votre voiture.
f. Comme Bernard, vous voudriez bien garder un tableau.

Décrivez ce tableau.

Situez tous les éléments du tableau. Employez au-dessus (ou au-dessus de + nom), au-dessous (ou au-dessous de + nom), devant, derrière, au fond (ou au fond de + nom), à côté (ou à côté de + nom)...

Henri Matisse, « *Atelier 1908* ».

12 | A qui, à quoi renvoient les pronoms ?

Exemple : Tu pourrais t'en occuper. en = du reportage

a. Je l'ai perdu. l' = ____________
b. Qu'est-ce que tu en penses ? en = ____________
c. Nous le poursuivions. le = ____________
d. J'en donne cinq cents francs. en = ____________
e. Je vais m'approcher d'eux. eux = ____________
f. Je peux en garder un ? en = ____________

13 | Renseignez-vous.

Exemple : sur le jeune homme - Ce jeune homme, vous le connaissez

a. sur le musée : ____________
b. sur la galerie : ____________
c. sur les peintres : ____________
d. sur les toiles : ____________
e. sur le tableau : ____________
f. sur les journalistes : ____________

14 | Le faussaire raconte ce qu'il a fait (scène 9).

« Je suis sorti à 11 h 05... »

Continuez.

15 | Qu'est-ce qu'ils font ?

Faites correspondre ce qu'ils disent et ce qu'ils font.

a. « Laurent, tu pourrais t'en occuper ? »
b. « Mais ça ne vous dérange pas de m'expliquer ? »
c. « Monsieur, je vous ai dit non ! »
d. « Parce que moi, tu sais, les chiens... »
e. « Tu te rends compte ! »
f. « Mais, je n'en doute pas, mon cher ami. »
g. « Mais qu'est-ce qui vous prend, mademoiselle ? »
h. « Dommage... »

1. Bernard exprime sa peur.
2. Le monsieur approuve poliment.
3. Laurent montre son enthousiasme.
4. Le directeur est surpris et furieux.
5. Bernard exprime sa déception.
6. Laurent demande poliment des explications.
7. Martine donne ses instructions gentiment.
8. Le faussaire refuse tout net.

6 | Trouvez la question.

Exemple : De quoi vivez-vous ? *Je vis* ***de mon travail.***

a. ______________________ Nous **avons surveillé le faussaire.**
b. ______________________ Nous **le suivions.**
c. ______________________ Notre faussaire menait **une vie parfaitement honnête.**
d. ______________________ Il est sorti **à 11 h 05.**
e. ______________________ Il **s'est mis à peindre** en arrivant chez lui.
f. ______________________ J'en donne **cinq cents francs.**

7 | Écoutez l'enregistrement et dites si les refus sont brutaux (B) ou polis (P)

		B	P
a.	Ah, non ! Surtout pas !		
b.	Non, je suis désolé.		
c.	Pas question.		
d.	Je regrette. C'est non.		
e.	Vous savez, j'ai vraiment trop de travail...		
f.	Je vous ai dit non !		
g.	Plus tard, si vous voulez...		
h.	Ça, jamais !		

8 | Renforcez votre affirmation.

Exemple : Les touristes veulent la mer. → Les touristes ne veulent que la mer.

a. Ils achètent s'il y a la mer.
b. Il répond si on lui demande poliment.
c. Elle peint pour son plaisir.
d. Il sort pour faire des courses.
e. Il téléphone pour prendre de ses nouvelles.
f. Ils vont à l'exposition pour trouver le faussaire.
g. Ils vont le dénoncer s'il n'arrête pas son trafic.

9 | Éliminez les expressions qui ne conviennent pas.

a. Pour demander quelque chose aimablement :

☐ Ça ne vous dérange pas de me dire...
☐ Ça ne vous ennuie pas de me dire...
☐ Voudriez-vous me dire...
☐ Dis-moi tout de suite...
☐ Je vous en prie, dites-moi...

b. Pour refuser aimablement :

- ☐ Pardonnez-moi, mais ça ne m'est pas possible.
- ☐ Je suis vraiment désolé, mais...
- ☐ Je regrette d'avoir à refuser, mais...
- ☐ C'est absolument impossible !
- ☐ Je voudrais vous être agréable, mais...

20 **Racontez les scènes 4, 5 et 6.**

Faites bien la différence entre le récit d'événements passés (passé composé), et l'expre sion de circonstances ou d'états (imparfait). Vous pouvez aussi utiliser l'imparfait pour de événements répétés dans le passé.

« Bernard et Laurent ont vu un jeune homme qui sortait d'une galerie. Il avait plusieurs toile sous le bras... »

Continuez.

21 **Racontez la scène 10 (à l'exposition).**

« Bernard et Laurent ont filé l'homme pendant une semaine, sans résultat. Ils étaient déco ragés. C'est alors que Martine a vu dans le journal l'annonce d'une vente exceptionnel dans une galerie du Vieux Port. Ils y sont allés... »

Continuez.

C Et maintenant, communiquez

22 **Demandez poliment.**

a. Vous êtes à la gare. Vous voulez un renseignement.

b. Vous avez garé votre voiture à un endroit payant. Vous n'avez pas de monnaie. Vou arrêtez un passant pour lui en demander.

c. Vous avez prêté votre journal à quelqu'un dans le train. Vous avez envie de le lire.

d. Vous avez un coup de téléphone très urgent à donner. Il y a la queue devant la cabine

3 | **Dites dans quelle situation on peut vous poser ces questions, puis refusez poliment en trouvant une excuse.**

a. Vous voulez bien répondre à quelques questions ?
b. Vous pouvez m'aider ?
c. Vous pourriez me prêter votre journal ?
d. Auriez-vous de la monnaie ?
e. Ça ne vous dérangerait pas de changer de place ?
f. Vous pouvez me passer Martine ?

4 | **Qu'est-ce qu'ils veulent dire ?**

Trouvez une phrase de sens équivalent.
Exemple : Laurent à Martine : « Dis donc, ça marche pour toi ! »
= « Tu dois gagner beaucoup d'argent pour pouvoir acheter tous ces tableaux ! »

a. Elle est fada.
b. Il est bizarre, ce type.
c. Parce que moi, tu sais, les chiens...
d. Mais c'est impossible !
e. Mais qu'est-ce qui vous prend ?
f. Vous me donnez votre parole ?
g. Dommage...

5 | **Que vous a appris l'épisode 16...**

a. ... sur Antibes et la vie à Antibes ?
b. ... sur les musées et les peintres de la Côte ?

6 | **L'histoire aurait pu se passer autrement !**

Martine, Laurent et Bernard s'étaient trompés : les tableaux n'étaient pas faux.
Un journaliste de *Nice-Matin* raconte la mésaventure de nos trois amis :
– en essayant d'excuser ses confrères ;
– en se moquant légèrement d'eux.

7 | **Le faussaire, remis de sa peur, raconte l'histoire à un de ses amis. « Je m'en suis bien tiré... »**

Continuez.

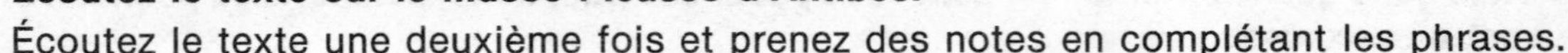

28 **Écoutez le texte sur le musée Picasso d'Antibes.**
Écoutez le texte une deuxième fois et prenez des notes en complétant les phrases.

Pablo Picasso, Triptyque.
Satyre, faune et centaure au trident, 1946.

a. Il y a un musée Picasso à ______
b. Le musée est installé dans ______
c. Les œuvres de Picasso qui y sont exposées sont des ______
d. Parmi les thèmes favoris de Picasso, on peut citer ______
e. Les œuvres inspirées par le milieu méditerranéen sont celles ______
f. On y voit ______
g. Ces œuvres ont, pour la plupart, été réalisées ______

29 **Que savez-vous d'autre sur Picasso ? Où trouve-t-on ses œuvres ?**
Faites une recherche.

30 **Jeu de rôle.**

Un(e) étudiant(e) (A) propose à un(e) ami(e) (B) d'aller visiter un musée, une galerie, château...
B voudrait refuser aimablement et donne des raisons.
A insiste et B finit par accepter, avec des conditions...

D Étudiez les pages « Reportage »

31 **Écoutez l'interview de M. Girard, conservateur du musée Matisse de Nice, prenez des note et dites ce que vous avez appris sur Matisse.**

Vive les vacances !

A Observez le film et vous comprendrez

1 Observez la réaction des personnages.

a. Quand Bernard propose de prendre un jour de congé, Martine
☐ demande à réfléchir. ☐ est tout de suite d'accord.
☐ pense qu'il y a mieux à faire.

b. Quand la jeune femme répond qu'elle est Américaine, Bernard
☐ se met à rire. ☐ est gêné/confus. ☐ repart à sa place sans rien dire.

c. Quand Laurent perd son pari lui aussi, Martine
☐ le félicite. ☐ ne dit rien. ☐ triomphe.

d. Quand Xavier lui dit que ses collaborateurs doivent être à Cannes, M. Duray
☐ sourit. ☐ est furieux. ☐ reste indifférent.

e. Quand M. Duray sort de la cellule du Masque de Fer, Martine
☐ a terriblement peur. ☐ reste muette de surprise. ☐ part en courant.

f. Quand M. Duray leur dit qu'il a bon caractère, Martine, Laurent et Bernard
☐ ne disent rien. ☐ se moquent gentiment de lui. ☐ ne le remercient pas.

2 Souvenez-vous.

a. Martine accepte tout de suite la suggestion de Bernard
☐ parce qu'il fait trop chaud pour travailler.
☐ parce qu'elle a autant envie que Bernard de prendre un jour de congé.

b. Quand Martine, Laurent et Bernard quittent le bureau, ils disent à Xavier
☐ qu'ils vont aller à Cannes.
☐ qu'ils vont prendre le bateau pour les îles de Lerins.

c. A la terrasse du *Martinez*, Martine, Laurent et Bernard font un jeu
   ☐ pour savoir qui décidera où ils vont aller.
   ☐ pour savoir qui parle le mieux les langues étrangères.

d. Pour se renseigner sur les horaires de bateau, Martine
   ☐ va demander au concierge de l'hôtel.
   ☐ consulte un horaire.

e. Pour rattraper ses collaborateurs, M. Duray
   ☐ prend le bateau des touristes.
   ☐ loue un bateau rapide.

f. Pour surprendre ses collaborateurs, M. Duray
   ☐ se déguise en Masque de Fer.
   ☐ sort lentement de la cellule du Masque de Fer.

g. Pour montrer qu'il a bon caractère, M. Duray
   ☐ joue avec eux au jeu des nationalités.
   ☐ les invite à déjeuner.

3 Est-ce que vous avez remarqué...

a. ... si Martine, Laurent et Bernard sont vraiment en train de travailler dans la premiè scène ?
b. ... si le concierge de l'hôtel consulte un horaire pour répondre à Martine ?
c. ... la couleur des tickets pour la visite de la forteresse ?
d. ... quelle était la statue dans la forteresse ?

4 Quelles sont, d'après vous, les scènes les plus importantes de l'épisode ? Les plus amusantes ?

5 Quand ont-ils dit ces phrases ?

Exemple : « Et si on prenait une journée de vraies vacances ? »
Bernard – scène 1 – Il fait trop chaud et il n'a pas du tout envie de travaill

a. « Si je comprends bien, vous me laissez tomber ! »
b. « ... Je vais leur faire une surprise... »
c. « Ça ne vous dirait rien, Saint-Tropez ? »
d. « On va bien voir si tu es plus forte que nous... »
e. « Comment, se balader ! Ça alors ! »
f. « Ça ne va pas toi non plus ? »
g. « Calme-toi ! Calme-toi ! »
h. « Mais ça suffit comme ça. »

6 **Revoyez l'épisode, lisez le texte du dialogue dans votre livre (pp. 43 à 46), et remplissez le tableau suivant.**

numéro de la scène	*lieux*	*personnages*	*ce qui se passe*
	Première partie du feuilleton		
1	au bureau		
2	à l'aéroport de Nice/ dans le taxi		
3	à la terrasse du *Martinez*		
4	dans le taxi		
5	à la terrasse du *Martinez*		
6	à la terrasse du *Martinez*	Bernard et la jeune femme	
7	à la terrasse du *Martinez*	Laurent et le monsieur	
8	à la terrasse du *Martinez*	Martine et l'Italien	
9	dans le hall de l'hôtel		
10	au bureau		
11	à bord du bateau des touristes		
12	dans le hall de l'hôtel		
	Deuxième partie du feuilleton		
13	à bord du bateau des touristes		
14	sur le bateau de M. Duray		
15	à bord du bateau des touristes		
16	sur l'île Sainte-Marguerite		
17	sur le bateau de M. Duray		
18	dans la forteresse		
19	près de la cellule du Masque de Fer		
20	au restaurant de l'île Sainte-Marguerite		

B Exercez-vous

7 Reliez ces éléments deux à deux pour retrouver des expressions du texte.

a. rien	1. d'accord
b. jour	2. bon caractère
c. laisser	3. en parfaite santé
d. une promenade	4. une excursion
e. se mettre	5. de congé
f. faire	6. d'urgent
g. être	7. en mer
h. avoir	8. tomber quelqu'un

8 Éliminez l'expression ou le mot différent.

a. repos – tour – congé – vacances
b. forteresse – cellule – fantôme – prison
c. se balader – suivre – se promener – faire un tour
d. journée – tour – promenade – excursion
e. pardon – ça suffit – désolé(e) – veuillez m'excuser
f. peut-être – sans doute – probablement – tant pis
g. c'est évident – j'en suis sûr – c'est certain – je suis contre
h. toutes les heures – vers dix heures – dans une demi-heure – il y a une demi-heure

9 Dites ce que vous trouvez bien.

Exemple : idée → Ce n'est pas mal du tout comme idée !

Exprimez votre opinion de la même manière en parlant d'un livre, d'une ville, d'un pays, d'un tableau, etc.

10 Vous voulez atténuer votre affirmation.

Utilisez : peut-être – sans doute – probablement – je crois que...

Exemple : On va s'offrir un jour de liberté. → Je crois qu'on va s'offrir un jour de liberté.

a. Je vais leur faire une surprise.
b. Elle est Japonaise.
c. Elle est plus forte que nous.
d. Il y en a toutes les heures.
e. Ils sont partis se balader.
f. Le Masque de Fer était enfermé ici.
g. C'était le frère de Louis XIV.

1 Qu'expriment ces phrases ?

a. Je voudrais aller aux îles de Lerins.	1. Une certitude
b. On ne va pas à Saint-Tropez. Quel dommage !	2. Une probabilité
c. Je veux aller en Italie.	3. Une possibilité
d. Il est seulement dix heures. On peut encore y aller.	4. Un regret
e. Je suis sûr que c'est le bateau des îles.	5. Un souhait
f. On va peut-être partir.	6. Une volonté

2 Classez les phrases suivantes de 1 à 5 (du doute à la certitude totale).

a. Je crois que c'est une Japonaise. ____
b. Je ne sais pas si c'est une Japonaise. ____
c. Je suis sûr que c'est une Japonaise. ____
d. C'est peut-être une Japonaise. ____
e. C'est une Japonaise. C'est certain. ____

Écrivez cinq phrases de sens équivalent.
Exemple : phrase a. : Il me semble que c'est une Japonaise.

3 Demandez à un autre étudiant qui répond en protestant.

Exemple : « Il n'y a rien d'urgent à faire au bureau ? »
→ « Si, il y a quelque chose d'urgent à faire. »

a. Il n'y a rien d'intéressant à faire aux îles de Lerins ?
b. Il n'y a rien de beau à voir ?
c. Il n'y a rien de spécial à faire ?
d. Il n'y a rien de curieux à visiter ?
e. Il n'y a rien de nouveau à savoir sur le Masque de Fer ?

4 Vous êtes catégorique !

Exemple : un temps – travailler → Ce n'est vraiment pas un temps pour travailler !

a. un endroit – se promener
b. une heure – appeler au téléphone
c. une année – changer de travail
d. un jour – aller aux îles de Lerins
e. un moment – discuter
f. une journée – faire une excursion

5 Il vient de partir ou il va partir ?

Il est dix heures.
Exemples : bateau – à 9 h 30. Le bateau est parti il y a une demi-heure.
– à 10 h 30. Le bateau va partir dans une demi-heure.

a. train – à 11 h.
b. bus – à 9 h 50.
c. avion – à 9 h 45.
d. métro – à 10 h 03.

16 Indiquez la périodicité.

Exemples : Les bus passent à 6 h, 7 h, 8 h,... : toutes les heures
Les bus passent à 6 h, 8 h, 10 h,... : toutes les deux heures

a. Elle téléphone le lundi, le mardi, le mercredi... : ______
b. Il vient en janvier, en mars, en mai... : ______
c. Cette semaine il est à Madrid, dans deux semaines il va à Rome, dans quatre semaine à Paris. Il voyage ______
d. Il téléphone le lundi, le mercredi, le vendredi,... : ______
e. Ils viendront en janvier, en février, en mars,... : ______
f. Ils feront un voyage en 1988, en 1989, en 1990... : ______

17 Remplissez le tableau.

Il y a 3 mois que je ne l'ai pas vu.	*Ça fait 3 mois que je ne l'ai pas vu.*	*Je ne l'ai pas vu depuis 3 mois.*
	Ça fait un an que je n'y suis pas allé.	
		Elle ne lui a pas écrit depuis 6 mois.
Il y a une heure qu'il mange.		

18 Dites ce que vous n'avez pas fait.

Exemple : depuis un mois : « Je n'ai pas voyagé depuis un mois. »
ou « Ça fait un mois que je n'ai pas voyagé. »
ou « Il y a un mois que je n'ai pas voyagé. »

a. Depuis huit jours
b. Depuis quinze jours, etc.

19 Qu'est-ce qu'ils font ?

Faites correspondre ce qu'ils disent et ce qu'ils font.

a. « Hélas, non ! Je travaille. »
b. « Moi, je suis contre. »
c. « Félicitations ! Quel flair ! »
d. « Je crois qu'ils sont partis... se balader. »
e. « Il ne peut pas être ici. »
f. « Mais... c'est bien vous ? »

1. Laurent exprime un doute.
2. Martine exprime sa surprise.
3. Xavier exprime une probabilité
4. Martine se moque de Bernard.
5. M. Duray exprime ses regrets.
6. Bernard exprime son désaccord

20 Trouvez la question.

Exemple : *Il y a quelque chose d'urgent à faire ?* *Non, il n'y a rien d'urgent.*

a. ______________________ ? Prendre le petit déjeuner à Cannes.

b. ______________________ ? Ah, non ! Je n'aime pas Saint-Tropez.

c. ______________________ ? Non, je suis Américain.

d. ______________________ ? Depuis le XVIIe siècle.

e. ______________________ ? On pense qu'il s'agissait d'un frère du roi.

f. ______________________ ? Mais non, il ne peut pas être ici.

21 Lisez les phrases suivantes et dites celles qui ne peuvent pas être utilisées.

a. Pour faire une proposition :

- ☐ Ça ne vous dirait rien de marcher un peu ?
- ☐ Je voudrais seulement marcher un peu.
- ☐ Je marcherais bien un peu, pas vous ?
- ☐ Si on marchait un peu ?
- ☐ Marcher un peu... c'est une bonne idée.

b. Pour refuser la proposition ou exprimer son désaccord :

- ☐ Marcher un peu, je n'en ai pas tellement envie.
- ☐ Pourquoi pas ?
- ☐ Tu n'aurais pas envie de regarder la télévision plutôt ?
- ☐ C'est pas mal comme idée.
- ☐ Oui, c'est une idée... mais pas maintenant.
- ☐ Je ne suis pas pour, il fait beaucoup trop chaud.

22 Écoutez et complétez le texte.

Martine, Laurent et Bernard se demandent __________ vont travailler. Il fait tellement chaud. Ça ne __________ pas mal de prendre un jour de congé. Mais où aller ? Ils __________ finalement le bateau des îles de Lerins. Mais M. Duray __________ leur faire une surprise. Il est à Nice et il __________ les rejoindre à l'île Sainte-Marguerite. Il se cache dans la cellule du Masque de Fer pour leur __________. Comment __________ croire que leur patron est là ? Ils sont __________ qu'il est à Lyon... et le voilà qui apparaît ! Ils __________ passer la petite colère de M. Duray et c'est __________ un bon jour car il les invite à faire un bon repas.

C Et maintenant, communiquez

23 **Des gens attendent d'être servis. Vous passez devant eux parce que vous n'avez qu'une simple question à poser ou une petite chose à acheter. Vous vous excusez et vous dites ce que vous vouliez faire.**

Exemple : dans un magasin – le prix d'un objet :
« Oh, excusez-moi. Je voulais seulement savoir combien ça coûte ! »

a. à la poste – acheter un timbre
b. chez le marchand de journaux – regarder les titres
c. au restaurant – regarder le menu
d. à la gare – demander un renseignement
e. à l'épicerie – acheter une salade
f. à la pâtisserie – commander un gâteau

24 **Faites des propositions. Essayez de convaincre vos partenaires en leur donnant des raisons. Vous aimeriez bien :**

a. prendre un jour de congé.
b. aller voir des amis.
c. regarder une émission à la télévision, etc.

25 **Qu'est-ce qu'ils veulent dire ?**

Trouvez une phrase de sens équivalent.

Exemple : Si je comprends bien, vous me laissez tomber !
Vous partez sans moi, et vous me laissez faire tout le travail !

a. Hélas, non ! Je travaille.
b. Moi, je suis contre.
c. Raté, mon cher Laurent, raté !
d. Eh bien, tant pis !
e. Ça ne va pas toi non plus ?
f. Mais ça suffit comme ça.

26 **L'histoire pourrait se passer autrement !**

Par exemple : M. Duray ne trouve pas ses collaborateurs à l'île Sainte-Marguerite.
Racontez. Inventez d'autres possibilités...

27 **Racontez l'épisode à un autre étudiant. Intégrez des éléments faux. Votre partenaire vous interrompt pour rétablir la vérité.**

28 **Écoutez le texte sur les Français en vacances.**
Écoutez le texte une deuxième fois, et prenez des notes en complétant les phrases.
a. Les Français ont droit à ____________ de vacances.
b. Ils prennent leurs vacances ____________.
c. ____________ partent en été.
d. Les gens qui partent en vacances en été sont ____________.
e. En hiver ____________ va aux sports d'hiver.
f. Quatre Français sur cinq ____________.
g. Ce sont les Français ____________ qui partent le plus longtemps.

29 **Quels problèmes posent les vacances dans votre pays ?**
Quelle est la situation ? Qui part en vacances ? Quand ? Où ? Pour combien de temps ? Comparez avec ce que vous savez de la situation en France.

30 **Que préférez-vous : les voyages individuels ou les voyages organisés ? Pourquoi ?**

31 **Comment peut-on apprendre mieux ?**
Organisez une discussion générale, une séance de « remue-méninges », sur la façon d'apprendre les langues étrangères. Chacun parlera de ses techniques, de ses « trucs », et on discutera des meilleures stratégies.

D Étudiez les pages « Reportage »

32 **Écoutez l'interview de Mlle Fanet, hôtesse à l'office du tourisme, à Nice.**
Repérez les lieux indiqués sur la carte de Nice (livre pp. 48-49).

33 **Nice dans l'histoire.**
Répondez aux questions.
a. Où est située Nice ?
b. Qui a fondé Nice ?
c. À qui appartenait Nice avant 1860 ?
d. Depuis quand Nice est-elle française ?
e. Quels hommes célèbres sont nés à Nice ?
f. Quelle est l'importance actuelle de Nice ?

18

Où habitent les Mathias ?

A Observez le film et vous comprendrez

1 Observez la réaction des personnages.

a. Quand Martine lui dit qu'elle cherche du travail pour lui, Laurent
☐ n'est pas content. ☐ trouve l'idée intéressante. ☐ devient rouge de colère.

b. Quand Martine parle d'un emploi de garçon de café pour Laurent, Bernard
☐ fait une remarque injurieuse. ☐ se moque ouvertement de Laurent.
☐ dit que ça lui convient.

c. Quand Laurent dit à Mathias qu'il est étudiant, Mathias
☐ est désolé. ☐ est gêné. ☐ est enchanté.

d. Quand Laurent se montre maladroit pour traire les chèvres, Mireille
☐ fait semblant de ne rien voir. ☐ le critique. ☐ se moque gentiment de lui.

e. Quand Martine aperçoit Mireille et Laurent dans le pré, elle
☐ reste indifférente. ☐ essaie de cacher sa jalousie.
☐ se moque de Bernard.

f. Quand Laurent lui dit qu'il n'est pas journaliste, Mathias
☐ n'est pas surpris. ☐ est inquiet. ☐ est stupéfait.

g. Quand Mathias lui dit de venir travailler à la ferme, Bernard
☐ est stupéfait. ☐ est effrayé. ☐ est content.

2 Est-ce que vous avez remarqué...

a. ... ce qu'il y a dans la salle de séjour des Mathias ?
b. ... ce qu'il y a dans l'atelier du père Léon ?
c. ... le nom du café du village ?

3| **Revoyez l'épisode, lisez le texte du dialogue dans votre livre (pp. 55 à 58), et remplissez le tableau suivant.**

numéro de la scène	*lieux*	*personnages*	*ce qui se passe*
		Première partie du feuilleton	
1	au bureau de *Lyon-Matin*		
2	à la porte de la ferme des Mathias		
3	dans une petite chambre de la ferme		
4	dans la salle de séjour de la ferme		
5	dans un pré près de la ferme		
6	dans la basse-cour		
7	au studio de *Radio-Rivage*		
8	sur la place du village		
		Deuxième partie du feuilleton	
9	dans la salle à manger de la ferme		
10	dans l'atelier du père Léon		
11	dans une rue du village		
12	sur une route d'où on voit la ferme		
13	sur une route qui descend au village		
14	à la ferme		
15	sur une route qui descend au village		
16	sur la place du village		
17	à la ferme		

4| **Quelles sont, d'après vous, les scènes les plus importantes de l'épisode ? Les plus amusantes ?**

5 **Souvenez-vous.**

a. Martine lit les petites annonces du journal
- ☐ parce qu'elle veut envoyer Laurent faire un reportage.
- ☐ parce qu'elle ne veut plus de Laurent à *Lyon-Matin*.

b. Bernard se met à crier
- ☐ parce qu'il ne veut pas que Laurent quitte son travail.
- ☐ parce qu'il a pris le courant dans les doigts.

c. Mathias montre à Laurent
- ☐ une grande chambre très confortable.
- ☐ une chambre modeste sans eau chaude.

d. Dans la première partie de l'épisode, Mathias dit « vous » à Laurent
- ☐ parce que Laurent est étudiant.
- ☐ parce que Laurent est plus âgé que lui.

e. Dans la deuxième partie du film, Mathias dit « tu » à Laurent
- ☐ parce qu'il le connaît mieux et qu'il l'aime bien.
- ☐ parce qu'il est journaliste.

f. Quand Martine et Bernard les observent, Mireille et Laurent
- ☐ sont en train de traire les chèvres.
- ☐ sont en train de couper de l'herbe.

g. Laurent demande à rester à la ferme un jour de plus
- ☐ parce qu'il adore traire les chèvres.
- ☐ parce qu'il aime bien les Mathias, et surtout Mireille.

B Exercez-vous

6 **Reliez ces éléments deux à deux pour retrouver des expressions du texte.**

a. une jeune fille	1. de mal
b. changer	2. la comédie
c. traire	3. de s'ennuyer
d. faire	4. par la police
e. jouer	5. d'air
f. ne pas avoir l'air	6. une partie de pétanque
g. faire quelque chose	7. au pair
h. être recherché	8. les chèvres

7 Éliminez l'expression ou le mot différent.

a. engager – employer – découvrir – renvoyer
b. avis – opinion – accord – emploi
c. boule – pastis – partie – pétanque
d. traire – s'occuper des animaux – couper de l'herbe – sculpter
e. ferme – courant – étable – bergerie

8 Ajoutez les adjectifs qui vous sont proposés. Faites l'accord.

Exemple : un garçon (maladroit - jeune) → un jeune garçon maladroit

a. une ferme (provençal - grand) ____________
b. la vie (rural - vrai) ____________
c. un homme (gentil - vieux) ____________
d. un village (petit - pittoresque) ____________
e. une bergerie (blanc - vieux) ____________
f. des vacances (long - heureux) ____________
g. des nouvelles (incroyable - mauvais) ____________

9 Décrivez les personnages du film en utilisant des adjectifs.

Exemple : Léon est un vieil homme gentil et adroit.

a. Mathias ____________. b. Mireille ____________. c. Laurent ____________.
d. Martine ____________. e. Bernard ____________.

10 Étonnez-vous !

Exemples :
Martine a écrit au journal pour Laurent. → Comment ! Elle a écrit au journal pour Laurent !
On se sert de ce tabouret pour traire. → Comment ! On se sert de ce tabouret pour traire !

a. Ils vont dans le pré pour traire les chèvres.
b. Il va payer le pastis.
c. Elle rappelle à Bernard qu'elle est la directrice.
d. Il n'a pas donné de nouvelles à ses amis.
e. Il ne veut pas présenter ses amis à Mathias.
f. Il faudra envoyer Bernard à la ferme.
g. Mireille a montré la façon de traire à Laurent.
h. Martine a raconté l'histoire à M. Duray.

11 Qu'est-ce qu'ils faisaient ?

Complétez les phrases.

a. Quand Martine lisait les petites annonces, Bernard ______________.

b. Quand Laurent est arrivé à la ferme, Mathias ______________.

c. Quand Laurent essayait de traire les chèvres, Mireille ______________.

d. Quand Laurent et Mireille coupaient de l'herbe, Martine et Bernard ______________.

e. Quand Laurent et Mathias sont arrivés au café, Martine et Bernard ______________.

f. Quand Martine a raconté l'histoire, la famille Mathias ______________.

12 Qu'est-ce qu'ils font ?

Faites correspondre ce qu'ils disent et ce qu'ils font.

a. « Comment ? Laurent est renvoyé ? »
b. ... « Tu pourrais me demander mon avis ! »
c. ... « Vous ne savez pas vous y prendre ! »
d. « Ce n'est pas si mal pour un premier jour ! »
e. « Il pourrait quand même nous appeler »
f. « Madame la directrice... »
g. « Tu pourrais donner des nouvelles »
h. « Ah ! ça alors, c'est formidable ! »

1. Mireille critique Laurent.
2. Martine est furieuse.
3. Bernard se moque de Martine.
4. Martine fait un reproche.
5. Mathias est stupéfait.
6. Laurent proteste.
7. Mathias fait un compliment.
8. Bernard se moque de Laurent

13 Trouvez la question.

a. ______________ Les petites annonces.
b. ______________ Un reportage sur la vie rurale en Provence.
c. ______________ Parce que je veux changer d'air.
d. ______________ A s'asseoir.
e. ______________ Une partie de pétanque.
f. ______________ On commence à six heures.
g. ______________ Avec quelqu'un que je ne connais pas.
h. ______________ Parce que je n'y ai jamais joué.

14 Exprimez votre désaccord.

Exemple : « Je cherche un emploi pour toi. »
Vous dites : « Tu ne me demandes même pas si je suis d'accord. »

a. Tu viens avec nous.
b. On regarde la télévision.
c. Va déjeuner au restaurant.
d. On va se balader.
e. On sort ce soir.
f. On va au théâtre mardi.

15 Quelles sont les phrases qui ne peuvent pas être utilisées... ?

a. Pour demander quelque chose gentiment :

- ☐ Tu pourrais téléphoner à M. Duray ?
- ☐ Tu veux bien téléphoner à M. Duray.
- ☐ Téléphone à M. Duray tout de suite.
- ☐ Pourquoi est-ce que tu ne téléphonerais pas à M. Duray ?
- ☐ Je veux que tu téléphones à M. Duray.

b. Pour encourager quelqu'un :

- ☐ Ce n'est pas si mal pour un premier jour...
- ☐ Vous ne savez pas vous y prendre.
- ☐ Ça viendra, tu verras !
- ☐ Tu es devenu un vrai champion.
- ☐ Dommage que tu joues si mal !
- ☐ Ce n'est pas encore formidable, mais ça viendra.

16 Répondez aux questions.

a. Laurent ne va plus travailler à *Lyon-Matin* ?
b. Martine ne sait pas ce qu'elle veut ?
c. Le travail de la terre n'est pas dur ?
d. Mathias ne sait pas jouer à la pétanque ?
e. Léon n'est pas heureux ?
f. Martine n'est pas un peu jalouse ?

17 Donnez une raison.

Exemple : Je suis stupéfait de cette nouvelle ! (incroyable) C'est absolument incroyable !

a. J'aime beaucoup ces petits villages. (pittoresques) ______.
b. J'adore vivre à la campagne. (agréable) ______.
c. Je lis beaucoup de livres d'histoire. (intéressant) ______.
d. Je n'aime pas le travail de la terre. (dur) ______.
e. Je n'ai pas envie de travailler aujourd'hui. (chaud) ______.
f. Je n'aime pas traire les chèvres. (difficile) ______.
g. Je ne vais pas souvent au restaurant. (cher) ______.
h. Laurent ne peut pas être garçon de café. (maladroit) ______.

18 **Écoutez, complétez le texte et mettez la ponctuation.**

Bernard fait beaucoup de plaisanteries et Laurent ne ____________ aime pas surtout quan
elles sont ____________ contre ____________.
Laurent est journaliste mais il ne ____________pas dit aux Mathias. Mireille lui
____________ tout de suite.
Les chèvres sont des animaux ____________. Laurent ____________ est vite rend
compte. Mais Mireille est ____________ à son secours. Elle était ____________ de l'aide
On comprend que Laurent demande à rester un jour de plus à la ferme. Son travail es
____________ intéressant !

C Et maintenant, communiquez

19 **Vous êtes gêné(e). Vous trouvez une excuse.**

Exemple : « Tu ne pourrais pas inviter tes amis ce soir ?
– C'est que je n'ai rien à la maison... »

a. Tu ne voudrais pas venir au restaurant avec nous ce soir ?
b. Tu ne pourrais pas me prêter ta voiture ?
c. Tu ne viens pas jouer à la pétanque avec nous ?
d. Tu peux me prêter cent francs ?
e. Tu ne voudrais pas traire les chèvres ?
f. Vous voulez bien me laisser passer avant vous ?
g. Vous ne voudriez pas jouer aux échecs avec moi ?
h. Ça t'ennuie que je reste dîner ?

20 **Qu'est-ce qu'ils veulent dire ?**

Trouvez une expression équivalente pour expliquer.

Exemple : Bernard à Martine : « Tu es sûre ? »
« Tu crois vraiment que Laurent ne peut pas être "jeune fille au pair" ! »

a. Oh ! Occupe-toi de ton magnétophone.
b. Ce n'est pas grave.
c. Il te manque ?
d. Ça viendra, tu verras !
e. Je ne trouve pas ça très drôle !
f. Oh ! ça va !
g. On ne t'en veut pas.

21 **Qu'est-ce qu'on fait à la campagne ?**
Exemple : À la campagne, on se lève tôt.
Continuez.

22 **Laurent raconte son aventure à un ami.**
Il transforme un peu l'histoire à son avantage. Quelqu'un l'interrompt chaque fois pour rétablir la vérité. Pour lui couper la parole, utilisez des expressions comme :
« Mais non, Laurent, tu te trompes ! – Voyons, ça ne s'est pas passé comme ça. – Alors, Laurent, tu as déjà oublié ? »

23 **Écoutez le texte sur la population française et prenez des notes en complétant les phrases.**

a. Les Français vivent surtout ______________ dans la proportion de ______________.

b. Dans la seule région parisienne vit ______________.

c. Il y a ______________ d'habitants dans Paris et ses banlieues.

d. Les jeunes quittent les campagnes parce que

1. ______________.
2. ______________.
3. ______________.

e. Depuis quelques années ______________.

f. Il y a deux causes principales à ce changement :

1. ______________.
2. ______________.

24 **La population.**
Existe-t-il un mouvement de population comparable dans votre pays ? Les gens restent-ils dans les campagnes ou émigrent-ils vers les villes ? Pour quelles raisons ?
La population augmente-t-elle encore ?

25 **Discussion.**
Que préférez-vous ? Vivre en ville ou à la campagne ?
Chaque point de vue est défendu par un étudiant ou par un groupe.
Donnez vos raisons. Essayez de montrer les points faibles des raisons de l'autre groupe.

D Étudiez les pages « Reportage »

26 **Écoutez l'interview de Léon, sculpteur sur bois d'olivier, et dites ce que vous pensez du père Léon.**

27 **Étudiez le poème de Guillevic.**

J'ai vu le menuisier
Tirer parti du bois.

J'ai vu le menuisier
Comparer plusieurs planches.

J'ai vu le menuisier
Caresser la plus belle.

J'ai vu le menuisier
Approcher le rabot.

J'ai vu le menuisier
Donner la juste forme.

Tu chantais, menuisier,
En assemblant l'armoire.

Je garde ton **image**
Avec **l'odeur** du bois.

Moi, j'assemble des mots
Et c'est un peu pareil.

Terre à bonheur, 1952, Éd. Seghers.

a. Combien y a-t-il de « Je » dans le poème ?
b. Qui est ce « Je » ? Le poète lui-même ou un personnage qu'il fait parler ? Justifiez votre réponse en vous aidant des deux derniers vers.
c. À qui se compare le poète ?
d. Que fait le menuisier ? Il assemble ____ Que fait le poète ?
e. Quel genre de travail est-ce ? (manuel, intellectuel, artisanal, artistique, industriel...).
f. Le menuisier tire-t-il plaisir de son travail ? Quel mot le montre ? Et le poète ?
g. Comment s'appelle le recueil d'où est tiré ce poème ?
h. D'où vient la sensation de régularité qu'on éprouve en lisant le poème ? Cherchez les répétitions, comptez le nombre de pieds (syllabes) par vers.
i. Où se trouvent les césures (les coupes, les articulations) dans les douze premiers vers ? Où sont-elles dans les quatre derniers vers ? Quelle impression ce changement donne-t-il ?
j. Pouvez-vous imaginer le genre de poète qu'est Guillevic ? Que cherche-t-il ?
k. Aimez-vous ce genre de poésie ?

À la pêche aux amphores !

A Observez le film et vous comprendrez

1 Observez la réaction des personnages.

a. Quand Laurent essaie de le réveiller, Bernard
☐ se met vraiment en colère. ☐ fait semblant d'être en colère.
☐ se lève tout de suite.

b. Quand Bernard tombe à l'eau, Martine et Laurent
☐ sont vraiment désolés. ☐ lui font des reproches. ☐ se moquent de lui.

c. Quand Laurent a le mal de mer, M. Antoine
☐ fait semblant de ne pas le voir. ☐ appelle un médecin.
☐ lui donne un bon conseil.

d. Quand M. Antoine lui offre de la sardine crue, Laurent
☐ accepte avec plaisir. ☐ refuse énergiquement. ☐ se met en colère.

e. Quand l'homme lui montre les amphores, Martine
☐ reste indifférente. ☐ parle d'autre chose. ☐ exprime son admiration.

f. Quand Laurent et Bernard font irruption dans la pièce, l'homme
☐ se fâche. ☐ a peur. ☐ ne montre aucune surprise.

2 Souvenez-vous.

a. Laurent réveille Bernard de bonne heure
☐ parce que c'est dimanche.
☐ parce qu'ils vont à la pêche.

b. Sur le bateau, nos trois amis sont découragés
☐ parce que Bernard est tombé à l'eau.
☐ parce que les poissons ne mordent pas.

c. M. Antoine a une amphore romaine sur son bateau
☐ parce qu'il fait le trafic des amphores.
☐ parce qu'il la garde en souvenir.

d. M. Antoine offre un morceau de sardine crue à Laurent
- ☐ parce que c'est bon contre le mal de mer.
- ☐ parce qu'il veut se moquer de lui.

e. Laurent promet à l'homme qu'il n'aura pas d'ennuis
- ☐ s'il garde ses amphores.
- ☐ s'il en fait don au musée d'Antibes.

3 | Revoyez l'épisode, lisez le texte du dialogue dans votre livre (pp. 67 à 70), et remplissez le tableau suivant.

numéro de la scène	*lieux*	*personnages*	*ce qui se passe*
	Première partie du feuilleton		
1	dans l'appartement de Laurent et Bernard		
2	sur le port de Villefranche		
3	en mer		
4	dans l'appartement de Laurent et Bernard		
5	à bord du bateau de pêche		
6	à bord du bateau de pêche		
7	à bord du bateau de pêche		
	Deuxième partie du feuilleton		
8	sur le port de Villefranche		
9	dans les rues d'Antibes		
10	au café		
11	devant la porte d'une maison		
12	dans une grande pièce de la maison		
13	dans la grande pièce		
14	au musée d'Antibes		

4| **Avez-vous remarqué...**

a. ... comment Laurent réveille Bernard ?
b. ... où se trouve l'amphore de M. Antoine ?
c. ... qui les journalistes interrogent dans les rues d'Antibes ?
d. ... comment se comporte M. Orena pendant le discours de Martine au musée ?

5| **Quelles sont, d'après vous, les scènes les plus importantes de l'épisode ? les plus amusantes ?**

6| **Quand ont-ils dit ces phrases ?**
Aidez-vous du tableau de l'exercice 3 pour citer le numéro de la scène, dites le nom du personnage qui parle, et décrivez brièvement la situation.

Exemple : « Je t'interdis de me toucher ! »
Scène 1 – Bernard – Laurent essaie de le faire lever.

a. ...« Ce n'est peut-être pas un bon jour ! »
b. « Je vous interdis de rire. »
c. ... « Couchez-vous à l'arrière. Ça ira mieux ! »
d. « Faites savoir que vous êtes acheteur... »
e. « Du poisson, surtout pas ! »
f. « Vous feriez mieux de penser aux choses sérieuses ! »
g. « J'ai peur des ennuis. »

B Exercez-vous

7| **Reliez ces éléments deux à deux pour retrouver des expressions du texte.**

a. le mal	1. davantage
b. garder	2. de chance
c. en faire	3. aux choses sérieuses
d. dire du mal	4. de mer
e. en savoir	5. en souvenir
f. penser	6. à crédit
g. un coup	7. le trafic
h. acheter	8. des autres

8 Éliminez l'expression ou le mot différent.

a. port – patron – quai – mer
b. friture – sardine – maquereau – mérou
c. poser une question – se renseigner – pêcher – en savoir davantage
d. collection – équipement – musée – pièce rare
e. acheter à crédit – revendre – faire le trafic – transporter

9 Faites des promesses.

Exemple : « Ramenez-le-moi. – D'accord, je vous le ramènerai. »

a. Dites-le-moi. – D'accord,...
b. Apportez-m'en.
c. Donnez-les-leur.
d. Allez-y.
e. Achetez-leur-en.
f. Occupe-t'en.
g. Vendez-m'en un morceau.
h. Montrez-la-leur.

10 Répondez affirmativement à ces offres.

(Dans votre réponse, fixez vous-même la quantité.)

Exemple : « Est-ce qu'elle veut des sardines ? – Oui, donnez-lui-en une douzaine.

a. Vous voulez du poisson ?
b. Vous mangerez une sardine crue ?
c. Je vous apporte de la friture ?
d. Vous prendrez un jus d'orange ?
e. Tu voudrais acheter des amphores ?
f. Je vous envoie quelques bouteilles de vin ?
g. Vous ne mangez pas de poisson ?
h. Des maquereaux, vous en voulez ?

11 Trouvez un équivalent. Employez un impératif et des pronoms.

Exemple : Je t'interdis de lui donner de l'argent. → Ne le lui donne pas.

a. Je t'interdis de lui vendre ce poisson.
b. Moi, je ne veux pas de sardines.
c. Il ne faut pas leur donner du vin.
d. Il faut me donner un morceau de sardine crue.
e. Je t'interdis de leur parler des amphores.
f. Il faut lui ramener le bateau.

2 **Il faut...**

Exemple : Il faut vous envoyer l'article pour jeudi.
Vous dites : Envoyez-le-moi avant jeudi. Ne me l'envoyez pas plus tard.

a. Il faut vous donner les renseignements avant lundi.
b. Il faut vous apporter du poisson avant midi.
c. Il faut vous écrire avant la fin de la semaine.
d. Il faut vous répondre aujourd'hui.
e. Il faut vous payer avant la fin du mois.
f. Il faut vous fixer la date avant samedi.

3 **Qu'est-ce que vous dites ?**

Exemple : Quand vous faites un travail ennuyeux, vous dites :
« Que c'est ennuyeux ! » ou « Comme c'est ennuyeux ! » ou « Quel ennui ! »
ou « Qu'est-ce que c'est ennuyeux ! »

a. Quand on vous montre de belles amphores...
b. Quand vous admirez un très beau tableau...
c. Quand on vous présente un très gros poisson...
d. Quand vous mangez un très bon repas...
e. Quand vous lisez une histoire drôle...
f. Quand vous regardez un film amusant...
g. Quand on vous demande un prix très élevé pour un objet...

4 **À qui, à quoi renvoient ces pronoms dans le texte ?**

Exemple : Ramenez-le-moi avant ce soir. le : le bateau

a. Ça mord ! ça : ____________________
b. On en trouve encore par ici. en : ____________________
c. Il y en a qui préfèrent les revendre. en : ____________________
d. J'en ai vu souvent dans les musées. en : ____________________
e. Qu'est-ce que c'est que ça ? ça : ____________________
f. Ça a commencé il y a deux ans. ça : ____________________
g. Nous allons arranger ça. ça : ____________________
h. Il a décidé d'en faire don au musée. en : ____________________

15 Qu'est-ce qu'ils font ?

Faites correspondre ce qu'ils disent et ce qu'ils font.

a. « C'est combien ? »
b. « Ça n'a pas l'air d'aller très bien ! »
c. « Vous êtes bien curieux ! »
d. « Sûrement pas, non ! »
e. « Toi, laisse-moi tranquille ! »
f. « Ce sont des pièces rares ! »
g. « Qu'est-ce que c'est que ça ? »
h. « Nous allons arranger ça... »

1. Laurent refuse énergiquement.
2. L'homme justifie ses prix.
3. Laurent fait une promesse.
4. M. Antoine s'enquiert de la san[té] de Laurent.
5. L'homme exprime sa surprise et son inquiétude.
6. Laurent demande le prix de la location.
7. M. Antoine fait un reproche.
8. Laurent est irrité.

16 Trouvez la question.

a. ______________________ Trois cents francs.
b. ______________________ Avant ce soir.
c. ______________________ Pas un seul poisson !
d. ______________________ Non, c'est la première fois.
e. ______________________ On doit les déclarer.
f. ______________________ Dans les musées.

17 Éliminez les phrases qui ne conviennent pas...

a. Pour exprimer le découragement :
- ☐ Ce n'est vraiment pas le bon jour !
- ☐ Ce n'est pas possible !
- ☐ Mais non, tout va bien.
- ☐ Je ne peux plus le faire. C'est trop tard !
- ☐ Eh bien, ça ne va toujours pas ?

b. Pour donner des conseils :
- ☐ Moi, j'irais les déclarer.
- ☐ Et si j'allais les déclarer ?
- ☐ Pourquoi n'iriez-vous pas les déclarer ?
- ☐ Allez donc les déclarer. C'est le mieux.
- ☐ Vous devriez les déclarer.

8| Écoutez les phrases suivantes et indiquez par une croix dans le tableau si elles expriment un souhait (S), une possibilité (P), ou un conseil (C).

Exemple : Là-bas, ça mordrait mieux !
J'irais bien à la pêche.
À ta place, je rentrerais.

a. Moi, je les déclarerais.
b. J'achèterais bien une amphore.
c. On en trouverait peut-être sur le port.
d. Vous devriez y goûter.
e. J'en prendrais volontiers un morceau.
f. Je pourrais vous emmener...
g. Tu pourrais te coucher à l'arrière...
h. On mangerait bien de la friture.

	S	P	C
Là-bas, ça mordrait mieux !		X	
J'irais bien à la pêche.	X		
À ta place, je rentrerais.			X
a.			
b.			
c.			
d.			
e.			
f.			
g.			
h.			

9| Écoutez le texte et complétez les phrases.

Vous ____________ en manger un morceau ? Ça vous ____________ du bien. A l'arrière du bateau vous ____________ mieux. Vous ____________ vous coucher. Vos affaires ? Je vous les ____________. Ne ____________ préoccupez pas. Nous ____________ déjà au port si la mer était plus calme. A votre place, je ne ____________ pas à ça. Ça ____________ vous faire du mal. Donnez ____________ plutôt.

0| Demandez poliment.

Utilisez : J'aimerais ... Je voudrais ... Ça ne vous ennuirait pas de ...
Exemple : « Je veux un kilo de sardines. »
« Vous pourriez me donner un kilo de sardines ? »

a. Je veux acheter une amphore.
b. Donne-moi un jus d'orange.
c. Emporte ce poisson.
d. Apporte-moi mes affaires
e. Passe-moi mon appareil photo.
f. Porte cette lettre à la poste.

1| Qu'exprimment ces phrases ?

Exemple : Toi, laisse-moi tranquille ! l'irritation

a. Ça ne mordra jamais aujourd'hui ! ____________
b. Ce n'est vraiment pas drôle ! ____________
c. Comme c'est grand ! ____________
d. Comment ! Tu étais là ! ____________

e. Alors, il n'y a plus rien à faire ? ______
f. J'en voudrais une aussi belle ! ______
g. Non, je ne peux plus, j'arrête. ______
h. Pas possible ! C'est lui ! ______

C Et maintenant, communiquez

22 Refusez, gentiment d'abord, puis énergiquement.

a. Tu veux changer de place ? Non, merci. Je t'ai dit non!
b. Va donc à l'arrière ! ______
c. Donne-moi l'adresse du vendeur. ______
d. Tu ne prends pas de friture ? ______
e. Buvez ça ! ______
f. Racontez-nous votre histoire ? ______

23 Qu'est-ce qu'ils veulent dire ?

Trouvez une expression de sens équivalent pour expliquer.

Exemple : Martine à Laurent et Bernard : « Ça mord ? » = « Vous prenez du poisson, vous ?

a. Pas question.
b. Je ne suis pas là pour dire du mal des autres, moi.
c. Alors... rien !
d. ... Ça ne va toujours pas ?
e. Écoutez, nous sommes journalistes, pas policiers.
f. Comment voulez-vous que je déclare les amphores maintenant !

24 Que vous a appris cet épisode...

a. ... sur le port de Villefranche ?
b. ... sur le passé romain de cette partie de la Côte ?
c. ... sur le travail des journalistes ?

25 L'histoire pourrait se terminer autrement.

Par exemple, les trois journalistes découvrent une douzaine d'amphores sur le bateau d
M. Antoine... Imaginez la suite sous forme de dialogue.

6 **Écoutez le texte sur les frontières de la France. Mettez les légendes sur la carte ci-dessous et répondez aux questions.**

a. La plus grande distance de l'est à l'ouest est de ______.
b. Pour dessiner la carte de France, on peut commencer par tracer ______.
c. Les frontières terrestres de la France la séparent de ______ pays européens.
d. La France est bordée par la mer sur ______.
e. Marseille est sur ______. C'est le ______.
f. Le Havre est sur ______. C'est le ______.
g. Nantes est sur ______. C'est le ______.
h. La Manche et la mer du Nord séparent ______.

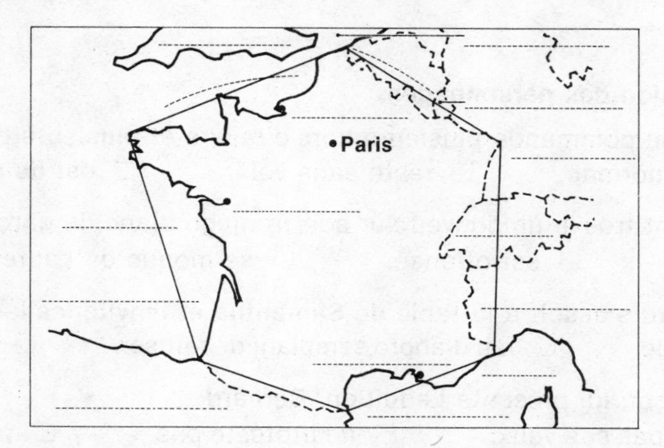

D Étudiez les pages « Reportage »

7 **Écoutez l'interview de M. Antoine, patron pêcheur à Villefranche-sur-Mer, prenez des notes, et dites ce que vous avez appris sur le métier de pêcheur en Méditerranée.**

8 **Étudiez le poème de Paul Eluard, *Poisson.***

a. Combien de fois l'eau est-elle mentionnée dans ce poème ?
b. De quoi le poème parle-t-il le plus, de l'eau ou des poissons ?
c. Quels mots sont associés à *eau* ?
d. *« Mais le doigt enferme aussi, et l'eau emporte. »*
Qu'est-ce que cela suggère ? N'y a-t-il pas là une menace cachée ?
e. Pourquoi appeler ce poème « Poisson » ?
Etudiez le nombre de pieds (syllabes) de chaque vers.
Qu'est-ce que vous constatez ? ☐ régularité ☐ monotonie ☐ dissymétrie ☐ mouvement
f. Le rythme irrégulier, lent et doux, puis rapide et brusque, peut-il évoquer le mouvement d'un poisson dans l'eau ?

Et maintenant, à table !

A Observez le film et vous comprendrez

1 Observez la réaction des personnages.

a. Quand Martine commande plusieurs hors-d'œuvre et plusieurs plats, le garçon
☐ trouve ça normal. ☐ reste sans voix. ☐ est de plus en plus étonné.

b. Quand Laurent trouve un cheveu sur son fromage blanc, le garçon
☐ s'excuse. ☐ est offensé. ☐ se moque de Laurent.

c. Quand Bernard s'assoit à la table de Samantha et l'invite, celle-ci
☐ est offensée. ☐ fait d'abord semblant de refuser. ☐ accepte tout de suite

d. Quand le garçon lui présente l'addition, Bernard
☐ n'en croit pas ses yeux. ☐ ne proteste pas. ☐ trouve ça bon marché

e. Quand Bernard montre à Martine son addition, celle-ci
☐ sourit. ☐ le félicite. ☐ soupçonne immédiatement Bernard.

f. Quand Bernard renverse du vin sur la robe blanche de Samantha, Martine
☐ est sincèrement désolée. ☐ fait une réflexion désagréable.
☐ aide Samantha à nettoyer sa robe.

2 Souvenez-vous.

a. M. Duray est venu de Lyon
☐ pour faire un bon repas.
☐ pour demander à ses collaborateurs de faire une enquête sur les restaurants de la Côte

b. Martine commande de nombreux plats
☐ parce qu'elle a très faim.
☐ parce qu'elle veut goûter à tout.

c. Laurent met un morceau de poulet dans une boîte en plastique
☐ parce que ce poulet est très bon et qu'il veut le finir plus tard.
☐ parce qu'il sent si mauvais qu'il veut le faire analyser.

d. Bernard mange dans l'assiette de Samantha
☐ pour savoir si c'est bon.
☐ pour l'agacer.

e. Xavier emmène ses trois amis chez la mère Potiron
☐ pour leur faire connaître une brave femme.
☐ pour les aider dans leur enquête.

f. Bernard essaie de recoller ses moustaches avant d'entrer chez la mère Potiron
☐ parce qu'il ne veut pas être reconnu.
☐ parce qu'il est plus séduisant avec des moustaches.

g. Martine imite ce que dit Samantha
☐ pour se moquer d'elle.
☐ parce qu'elle pense que Samantha a un joli accent.

3| **Revoyez l'épisode, lisez le texte du dialogue dans votre livre (pp. 79 à 82), et remplissez le tableau suivant.**

numéro de la scène	*lieux*	*personnages*	*ce qui se passe*
	Première partie du feuilleton		
1	à Cannes, à la terrasse d'un grand restaurant		
2	à Cannes, dans un grand restaurant		
3	dans un restaurant beaucoup plus modeste		
4	dans un troisième restaurant	Bernard, Samantha puis le garçon	
	Deuxième partie du feuilleton		
5	au bureau		
6	au bureau	les mêmes + Xavier	
7	devant le restaurant de la mère Potiron		
8	dans le restaurant		
9	au bureau		
10	sur le parking de la mère Potiron		

4 Avez-vous remarqué...

a. ... s'il y a des tableaux au mur dans le restaurant où déjeune Laurent ?
b. ... si Bernard porte de fausses moustaches quand il est au restaurant avec Samanth
c. ... si la mère Potiron sert le vin en bouteille ou dans une cruche ?

5 Quelles sont, d'après vous, les scènes les plus importantes de l'épisode ? Les plus amusantes ?

6 Quand ont-ils dit ces phrases ?

Aidez-vous du tableau de l'exercice 3 pour citer le numéro de la scène, dites le nom du p
sonnage qui parle, et décrivez brièvement la situation.

Exemple : « Ah ! J'oubliais... de la discrétion, n'est-ce pas ? »
Scène 1 – M. Duray – M. Duray demande à ses collaborateurs de ne pas lais. voir qu'ils sont journalistes quand ils iront tester les restaurants.

a. « Les deux ! »
b. « Vous êtes seule ? J'en étais sûr. »
c. « Mieux que "pas mal" ! »
d. « Ah ! Eh bien alors... »
e. « Quelle horreur ! »
f. « Ça ne te regarde pas ! »
g. « Ça, ça m'étonnerait... »
h. « Martine, ne sois pas méchante ! »

B Exercez-vous

7 Reliez ces éléments deux à deux pour retrouver des expressions du texte.

a. le rapport	1. son tour
b. un gigot d'agneau	2. de pays
c. un plateau	3. professionnelle
d. service	4. de cadeau
e. chacun	5. qualité-prix
f. par conscience	6. de fruits de mer
g. un petit vin	7. aux haricots
h. un drôle	8. compris

8| **Éliminez l'expression ou le mot différent.**

a. déjeuner – repas – gastronomie – dîner
b. foie gras – résultats – saumon fumé – hors-d'œuvre
c. sole – filet de Saint-Pierre – maquereau – tomate
d. salade – carte – addition – menu
e. prendre un repas – enquêter – manger – dîner
f. pas fameux – excellent – délicieux – parfait

9| **Complétez les phrases avec les prépositions qui conviennent, si nécessaire.**

a. Je vous ai invité ____________ dîner.
b. J'ai décidé ____________ mettre l'accent sur la gastronomie.
c. Permettez-moi ____________ vous inviter à déjeuner.
d. Bernard aime goûter ____________ chaque plat.
e. Il est curieux ____________ tout.
f. La mère Potiron se moque ____________ des journalistes.
g. Samantha a eu peur ____________ sa robe.
h. Martine l'a fait ____________ conscience professionnelle.

0| **Qu'est-ce qu'ils avaient décidé ?**

Exemple : M. Duray avait décidé de mettre l'accent sur la gastronomie.

a. Martine (goûter à tout)
b. Bernard (inviter Samantha)
c. Bernard (présenter Samantha à ses amis)
d. Laurent (faire analyser le poulet)
e. Xavier (les emmener chez la mère Potiron)
f. la mère Potiron (leur faire goûter sa bouillabaisse)
g. Martine (être désagréable avec Samantha)
h. tous (donner le numéro 1 à la mère Potiron)

1| **Répondez aux questions négativement en utilisant « personne » ou « rien ».**

Exemple : « Qui t'avait recommandé ce restaurant ? – Personne ne me l'avait recommandé. »
« Qu'est-ce qu'on t'avait dit ? – On ne m'avait rien dit. »

a. Qui t'avait donné cette adresse ?
b. On t'avait indiqué quelque chose ?
c. Qui lui avait dit d'inviter Samantha ?
d. Il avait quelque chose à te dire ?
e. À quoi est-ce qu'il avait dû goûter ?
f. Qui la lui avait présentée ?
g. Qu'est-ce qu'il y a de meilleur que la bouillabaisse de la mère Potiron ?
h. Qui lui avait donné la recette ?

12 **Qu'est-ce qu'on peut dire ?**
Pour commander quelque chose dans un restaurant, on peut dire :
« Je voudrais un plat du jour, un peu de vin... »
Trouvez cinq façons différentes de commander des plats ou des boissons.

13 **Retrouvez dans le texte les expressions utilisées pour caractériser un plat ou un repas**
Exemple : C'est délicieux !

14 **Ça pourrait être mieux !**
Faites des phrases sur le modèle suivant :
mayonnaise / meilleur → La mayonnaise pourrait être meilleure.

a. la soupe / chaud
b. le gigot / cuit
c. la sauce / léger
d. le fromage / crémeux
e. la viande / salé
f. le poisson / frais
g. le dessert / sucré
h. le vin / fort

15 **Il n'y a pas mieux !**
Faites des phrases sur le modèle suivant :
ce restaurant – cher / bon → Ce restaurant n'est pas le plus cher, mais c'est le meilleur

a. cet hôtel – moderne / confortable
b. ce fromage – connu / bon
c. cette maison – grand / agréable
d. cette route – court / bon
e. cette voiture – cher / bon
f. ce train – rapide / direct
g. cette enquête – long / complet
h. cette robe – cher / beau

16 **Qui est invité ?**
Martine, Samantha, Bernard et Laurent reçoivent une lettre d'invitation de M. Duray.
M. Duray écrit :

a. Je vous ai invité à dîner. : Cette lettre pourrait être adressée à ______
b. Je vous ai invitées à dîner. : Cette lettre pourrait être adressée à ______
c. Je vous ai invitée à dîner. : Cette lettre pourrait être adressée à ______
d. Je vous ai invités à dîner. : Cette lettre pourrait être adressée à ______

7 | **On vous propose quelque chose, mais vous voulez autre chose !**

Exemple : « Vous désirez de la salade de tomates ? – Non, je voudrais du foie gras. »

a. Du saumon fumé, ça vous ferait plaisir ?
b. Qu'est-ce que vous diriez d'un gigot ?
c. Vous ne voudriez pas un filet de sole ?
d. Voulez-vous du poisson ?
e. Voudriez-vous goûter à notre spécialité ?
f. Je vous sers du fromage ?
g. Vous prendrez un peu de vin ?
h. Voudriez-vous un verre de champagne ?

8 | **Qu'est-ce qu'ils font ?**

Faites correspondre ce qu'ils disent et ce qu'ils font.

a. « Bien sûr, les deux ! »
b. « Eh bien, vous, vous avez bon appétit ! »
c. « Je n'ai pas très faim. »
d. « Il y a des cheveux sur ce fromage ! »
e. « Laisse tomber, va... »
f. « Pas terrible... »
g. « Ne vous fatiguez pas ! »
h. « Ça ne vous dérange pas, au moins ? »

1. Bernard donne un conseil.
2. Xavier donne un conseil.
3. Laurent exprime son découragement.
4. La mère Potiron s'excuse.
5. Le garçon exprime sa surprise.
6. Laurent donne une excuse.
7. Martine confirme sa demande.
8. Laurent n'est pas content. Il se plaint.

9 | **Trouvez la question.**

a. ______________________ Mais les deux, voyons !
b. ______________________ Non, rien ! Si, si... attendez, du fromage.
c. ______________________ Du fromage blanc.
d. ______________________ Mais le service est compris, Monsieur.
e. ______________________ Pas terrible...
f. ______________________ Pas de problème !

10 | **Écoutez et complétez.**

M. Duray __________ une enquête sur les restaurants de la Côte. __________ ne devait savoir ce que *Lyon-Matin* préparait. Il ne fallait __________ négliger pour découvrir le meilleur restaurant. Nos trois amis n'__________ jamais autant mangé ! Ils devaient goûter à __________ plats dans les restaurants où ils allaient. Mais __________ restaurant ne leur paraissait mériter le numéro 1.
Xavier les avait __________. Il savait que leur enquête ne donnait __________ bons résultats. C'est parce qu'ils n'avaient pas __________ le restaurant de la mère Potiron. En effet, il n'y en avait pas __________ dans toute la région !

21 | **Éliminez les phrases qui ne conviennent pas...**

Reportez-vous toujours aux situations de l'épisode.

a. Pour donner son avis :

- ☐ Quelle horreur !
- ☐ Mais le prix... terrible !
- ☐ Mais pour vous, il y aura toujours de la place !
- ☐ Pas terrible...
- ☐ On le tient notre restaurant numéro 1 !

b. Pour protester, pour se plaindre :

- ☐ Garçon, il y a des cheveux sur ce fromage !
- ☐ Vous mangez toujours dans l'assiette des autres ?
- ☐ Laisse tomber, va...
- ☐ On devrait demander une analyse à un laboratoire !
- ☐ Mille cent francs !

C Et maintenant, communiquez

22 | **Qu'est-ce que vous diriez dans ces situations ?**

Vous êtes au restaurant.

a. Vous voulez choisir un vin.
b. Il y a un cheveu dans votre assiette.
c. Le garçon vous propose du fromage et vous n'en avez pas envie.
d. On vous demande votre avis sur un plat que vous ne trouvez pas bon. Vous ne voul[ez] pas vexer celui qui vous invite.
e. Le garçon vous apporte l'addition. Elle est très élevée.
f. Vous trinquez avec vos compagnons de table.
g. Vous proposez quelque chose que vous savez être excellent.
h. Vous êtes content d'avoir trouvé un excellent restaurant.

23 | **Que vous a appris cet épisode...**

a. ... sur les différentes catégories de restaurants ?
b. ... sur la composition d'un repas ?
c. ... sur Xavier ?

4 | Qu'est-ce qu'ils veulent dire ?

Trouvez une expression de sens équivalent.

Exemple : « Ajoutez une entrecôte bleue. »
= « Apportez-moi aussi une entrecôte très peu cuite (ou très saignante). »

a. Eh bien, vous, vous avez bon appétit !
b. Mais le service est compris, Monsieur.
c. Laisse tomber, va...
d. Ça, ça m'étonnerait.
e. La mère Potiron, elle s'en moque complètement des journalistes...
f. Vous allez m'en dire des nouvelles...
g. ... Cette fois, on le tient, notre restaurant numéro 1 !
h. ... Vous m'avez fait un drôle de cadeau...

5 | L'histoire pourrait se passer autrement.

a. Xavier ne connaît pas la mère Potiron. Martine, Bernard et Laurent découvrent autrement son restaurant.
b. Xavier tombe amoureux de Samantha.

6 | Samantha écrit à une amie pour lui raconter l'histoire.

7 | Vous connaissez votre région ?

Quels sont les restaurants, les hôtels, les cafés... les plus chics, les plus chers, les meilleurs, les plus amusants, etc.
Décrivez-les brièvement à un ami de passage qui vous pose des questions.

8 | Vous racontez l'épisode 20 à un autre étudiant en y intégrant des éléments faux. Votre partenaire vous interrompt chaque fois pour rétablir la vérité.

9 | Jeu de rôle.

Vous êtes au restaurant. Vous trouvez que le plat, ou le vin, n'est pas bon. Vous appelez le garçon pour faire une réclamation.

Vous êtes serveur dans un restaurant. Un client vous appelle pour faire une réclamation. Vous pensez que le client a tort, mais vous devez être aimable...

30 **Écoutez le texte sur les habitudes alimentaires des Français et prenez des notes en com-plétant les phrases.**

a. Il y a vingt ans, la majorité des Français
   - faisaient leurs courses ______
   - prenaient leurs trois repas ______
   - mangeaient ______

b. Aujourd'hui,
   - ils font plus attention à ______
   - ils mangent plus de produits frais et sains : ______
   - ils consomment beaucoup moins de ______
   - ils ne prennent plus aussi régulièrement leurs repas ______
   - ils mangent ______
   - ils évitent ______

c. Cependant,
   - ______
   - ______

31 **Quelles sont les habitudes alimentaires dans votre pays ? Comment mangez-vous chez vous ? Est-ce que vos habitudes ont changé au cours des dernières années ?**

D *Étudiez les pages « Reportage »*

32 **Écoutez l'interview de M. Cappa, chef cuisinier du restaurant *La grand-voile*, prenez des notes et dites ce que vous avez appris sur le métier de cuisinier.**

33 **Vous voulez faire une bouillabaisse.**

a. Quels ingrédients vous faudra-t-il ?
b. Combien de temps vous faudra-t-il ?
c. Est-ce que vous mettrez les poissons à cuire à l'eau froide ?
d. Quelle huile faut-il employer ?
e. Qu'est-ce qu'un aïoli ?
f. Qu'est-ce qui, dans la bouillabaisse, est typique de la Provence ?
g. Quelles précisions manque-t-il dans la recette donnée par la mère Potiron ? Qu'est-ce que vous avez besoin de savoir d'autre pour réussir votre bouillabaisse ?

Prenez-en soin !

A Observez le film et vous comprendrez

1 Observez la réaction des personnages.

a. Quand Martine et Bernard proposent à M. Duray des sujets de reportage, M. Duray
☐ fait immédiatement des objections. ☐ a l'air intéressé.
☐ a l'air de penser à autre chose.

b. Quand Bernard propose d'utiliser la voiture de M. Duray pour attirer les voleurs, M. Duray
☐ a l'air offensé. ☐ se met à rire. ☐ paraît inquiet.

c. Quand Laurent demande à Bernard de se mettre dans le coffre, Bernard
☐ a l'air content. ☐ proteste. ☐ se met en colère.

d. Quand il entend le cri de Bernard sortir du coffre, le passant
☐ sourit. ☐ a peur. ☐ n'y fait pas attention.

e. Quand ils s'adressent à Martine et Laurent qui essaient d'ouvrir le coffre de la voiture, les policiers
☐ restent parfaitements calmes. ☐ se mettent en colère.
☐ ont un air réprobateur.

f. Quand elle entend la voix de Bernard dans le bureau du commissaire, Martine
☐ ne bouge pas. ☐ fait semblant de ne pas entendre.
☐ se précipite sur le *talkie-walkie*.

g. Quand ils constatent que leur voiture a été volée, Martine et Laurent
☐ éclatent de rire. ☐ sont découragés. ☐ se font des reproches.

2 Avez-vous remarqué...

a. ... comment Martine tire au sort pour savoir qui entrera dans le coffre ?
b. ... qui se réveille le premier et entend la voix de Bernard ?
c. ... comment Martine et Laurent essaient de rentrer au bureau ?

21

3| **Revoyez l'épisode, lisez le texte du dialogue dans votre livre (pp. 91 à 94), et remplissez l tableau.**

numéro de la scène	*lieux*	*personnages*	*ce qui se passe*
		Première partie du feuilleton	
1	au bureau de *Lyon-Matin* à Nice		
2	au bureau	Martine, Laurent, Bernard, M Duray et Xavier	
3	au parking de l'aéroport à Nice		
4	dans une rue de Nice		
5	• dans la voiture de Laurent • dans le coffre de l'autre voiture		
6	sur la promenade des Anglais	un passant	
		Deuxième partie du feuilleton	
7	dans la voiture de Laurent		
8	dans la rue près de la voiture de M. Duray	deux hommes	
9	dans la voiture de Laurent		
10	dans une rue de Nice près d'une voiture arrêtée		
11	dans une rue de Nice près d'une voiture arrêtée	Martine, Laurent, deux policiers et un homme	
12	dans le bureau du commissaire de police	Martine, Laurent et le commissaire, Bernard au *talkie*	
13	dans les rues de Nice à bord d'une voiture de police		
14	au port		
15	à l'endroit où Martine et Laurent avaient laissé leur voiture		

4| Souvenez-vous.

a. M. Duray hésite à prêter sa voiture
- ☐ parce que l'idée de l'enquête ne lui plaît pas.
- ☐ parce qu'il a peur pour sa voiture.

b. M. Duray repart en avion à Lyon
- ☐ parce qu'il a prêté sa voiture pour l'enquête.
- ☐ parce que le voyage est plus rapide en avion qu'en voiture.

c. Laurent demande à Martine d'aller chercher des sandwichs
- ☐ parce qu'il n'a pas envie de bouger.
- ☐ parce qu'il doit rester au volant pour être prêt à suivre l'autre voiture.

d. Le passant qui entend le cri qui vient du coffre jette sa bouteille de vin
- ☐ parce qu'elle est trop lourde et qu'il ne veut plus la porter.
- ☐ parce qu'il croit que l'alcool lui fait perdre la raison.

e. Martine et Laurent ont perdu la trace de Bernard
- ☐ parce que la voiture qu'ils suivaient allait trop vite.
- ☐ parce qu'ils se sont endormis et n'ont pas vu les deux voleurs démarrer.

f. Le commissaire ne veut pas croire ce que racontent Martine et Laurent
- ☐ parce qu'ils n'ont pas l'air honnête.
- ☐ parce que c'est une histoire de fous.

5| Quelles sont, d'après vous, les scènes les plus importantes de l'épisode ? Les plus amusantes ?

6| Quand ont-ils dit ces phrases ?

Aidez-vous du tableau de l'exercice 3 pour citer le numéro de la scène, dites le nom du personnage qui parle, et décrivez brièvement la situation.

Exemple : « Déjà traité cent fois ! »
Scène 1 – M. Duray – M. Duray rejette la proposition de reportage sur la pollution des plages.

a. ... « Vous allez un peu loin ! Vous ne croyez pas ? »
b. « Bon, on va tirer au sort... »
c. « Si tu crois que ça m'amuse ! »
d. ... « Il faut que je m'arrête de boire ! »
e. « Mais c'est un roman ! »

B Exercez-vous

7 Reliez ces éléments deux à deux pour retrouver des expressions du texte.

a. avoir
b. aller
c. en prendre
d. un gang
e. une histoire
f. sentir
g. prendre
h. faire

1. de fous
2. du stop
3. un certain succès
4. des risques
5. un peu loin
6. soin
7. de voleurs
8. le mazout

8 Éliminez l'expression ou le mot différent.

a. jambon – beurre – pâté – lampe
b. coffre – gang – policier – voleur
c. partir – tirer au sort – s'éloigner – quitter le port
d. clef – mazout – voiture – coffre

9 Complétez ces phrases avec les prépositions qui conviennent, si nécessaire.

a. M. Duray est content ____________ premiers résultats de *Radio-Rivage*.
b. S'ils veulent attirer les voleurs, il leur reste ____________ trouver une voiture.
c. Laurent n'a pas envie ____________ prendre la place de Bernard.
d. Il est au volant, prêt ____________ repartir.
e. Il faut que le passant arrête ____________ boire.
f. Dans le coffre, Bernard commençait ____________ s'inquiéter.
g. Ce serait dommage ____________ abîmer une si jolie voiture.
h. Il suffit ____________ ouvrir le coffre.
i. On finira ____________ ouvrir le coffre où est enfermé Bernard.
j. Ils vont faire du stop ____________ rentrer au bureau.

10 Donnez votre avis.

Faites l'accord de l'adjectif avec le nom.

Exemple : idée / intéressant → Je trouve que cette idée est intéressante.

a. photos / réussi
b. voiture / luxueux
c. enquête / bon
d. résultats / pas mauvais
e. fille / gentil
f. histoire / incroyable
g. idée / nouveau
h. journée / dur

1| À qui, à quoi renvoient les pronoms ?

Exemple : Je vous trouve très gentils. vous : Martine, Laurent et Bernard

a. Il n'y en avait plus. en : ____

b. Si tu crois que ça m'amuse ! ça : ____

c. Ça ne va pas très vite ! ça : ____

d. Il suffit de l'ouvrir ! l' : ____

e. On va voir ce qui se passe. on : ____

f. On les aura ! les : ____

g. Qu'est-ce qu'on va faire ? on : ____

h. Je pense que tu pourrais le faire ! le : ____

2| Écoutez ces phrases. Est-ce qu'elles expriment l'inquiétude (In), l'impatience (Imp) ou l'irritation (Ir) ?

Exemple : Et pourquoi moi ?
a. Oui, mais je déteste le pâté !
b. Si tu crois que ça m'amuse !
c. Dis donc, ça ne va pas très vite !
d. Je croyais que vous m'aviez laissé tomber.
e. Écoute, ce n'est pas le moment de donner ton avis sur les voitures.
f. Ah, vite, monsieur le commissaire, aidez-nous !
g. Et ça... ça bouge...
h. Eh bien, bravo ! C'est réussi !

In	Imp	Ir
	X	

3| Quel est le sens de « on » dans ces phrases ?

Exemple : Laurent va réveiller Bernard : « Viens, on va à la pêche. » on : nous

a. Bernard est avec un groupe d'amis : « On va au café ? » on : ____

b. Bernard dit à Laurent : « Alors, on n'aime pas les sardines crues ? » on : ____

c. Bernard (avec des regrets dans la voix) : « On n'aime pas mes photos. » on : ____

d. Le commissaire, à Martine et Laurent : « On prend des risques. » on : ____

e. Bernard, dans le coffre : « J'espère qu'on finira par me faire sortir. » on : ____

f. Martine, à Laurent et Bernard : « On me dit que M. Duray va venir. » on : ____

g. Quelqu'un : « On dit que le temps va changer. » on : ____

14 | Qu'est-ce qu'ils espèrent ?

Attention ! Les deux verbes de la phrase ont le même sujet.

Exemple : M. Duray / entendre des propositions intéressantes
→ M. Duray espère entendre des propositions intéressantes.

a. Laurent / avoir l'accord de M. Duray
b. Laurent et Bernard / trouver une belle voiture pour attirer les voleurs
c. tous / réussir leur enquête
d. Bernard / ne pas rester trop longtemps dans le coffre
e. Martine et Laurent / garder le contact avec Bernard
f. Martine et Laurent / retrouver les voleurs
g. le passant / s'arrêter de boire
h. le commissaire / arrêter le gang

15 | Qu'est-ce qu'ils espèrent ?

Attention ! Les deux verbes de la phrase ont un sujet différent.

Exemple : M. Duray / ses collaborateurs – être prudent
→ M. Duray espère que ses collaborateurs seront prudents.

a. Martine / M. Duray – accepter leur proposition
b. Laurent / M. Duray – prêter sa voiture
c. M. Duray / ses collaborateurs – prendre soin de sa voiture
d. Bernard / Martine et Laurent – rester en contact avec lui
e. Martine et Laurent / commissaire – les aider
f. Bernard / quelqu'un – le faire sortir du coffre
g. le commissaire / Martine et Laurent – dire la vérité
h. tous / on – arrêter les voleurs

16 | Qu'est-ce qu'ils disent ?

Exemple : M. Duray dit qu'il est content des premiers résultats obtenus par Radio-Rivag
déclare que les enquêtes ont eu un certain succès.
affirme qu'il faudra trouver de nouveaux sujets.
annonce qu'il voudrait un reportage sur les vols de voiture.

Que peuvent dire, déclarer, affirmer, annoncer Martine, Laurent et Bernard ?

17 | Laissez-les faire !

Exemple : Tu crois que Xavier peut trouver les talkies-walkies *? Oui, laisse-le les trouver.*
Vous croyez que vos collaborateurs peuvent agir seuls ? Oui, laissez-les agir seul

a. Tu penses que Laurent peut louer la voiture ?
b. Vous pensez que Martine peut prendre cette responsabilité ?
c. Bernard, tes amis peuvent s'occuper de tout ?
d. Vous croyez que Bernard peut se débrouiller seul ?

8 Faites correspondre ce qu'ils disent et ce qu'ils font.

a. « Vos grandes enquêtes... ont eu un certain succès. »
b. « Ça vaut une photo, pas une enquête ! »
c. « Comment ça, ma voiture ? »
d. « C'est encore moi la victime ! »
e. « On va te sortir de là. »
f. « Mais, puisque vous êtes journalistes... »
g. « Vous êtes bien tous les mêmes ! »
h. ... « Laissez la police s'occuper des voleurs de voitures ! »

1. Bernard se plaint.
2. Le commissaire fait un reproche.
3. Le commissaire donne un conseil.
4. M. Duray, inquiet, demande une explication.
5. Le commissaire justifie sa décision.
6. M. Duray fait une objection.
7. Laurent pense qu'il rassure Bernard.
8. M. Duray fait un compliment (atténué).

9 Trouvez la question.

a. ______________________ Directement à l'étranger.
b. ______________________ Sans problème.
c. ______________________ Soyez tranquille.
d. ______________________ Non, personne.
e. ______________________ Je ne les ai pas prises !
f. ______________________ Avec la clé, bien sûr.
g. ______________________ Parce qu'ils sont journalistes.
h. ______________________ Parce que ça bouge et que ça sent le mazout.

10 Éliminez les phrases qui ne conviennent pas...

a. Pour faire des compliments :
- ☐ Vos résultats sont plutôt positifs.
- ☐ Vos articles ne sont pas mauvais du tout.
- ☐ Vos propositions me paraissent excellentes.
- ☐ Ces enquêtes n'ont pas eu beaucoup de succès.
- ☐ Ces sujets peuvent sans aucun doute intéresser nos lecteurs.

b. Pour faire des objections à une proposition de reportage :

- ☐ Déjà vu dans les journaux.
- ☐ Ce n'est pas un sujet pour nos lecteurs.
- ☐ Ça pourrait marcher...
- ☐ Ça vaut vingt lignes, pas deux pages !
- ☐ Pourquoi pas ? Essayons.

21 | Dites la cause. Imitez les exemples ou, mieux, inventez.

Exemple : « Tout ça, c'est à cause de toi. »
ou « C'est toi qui as eu cette idée. »
ou « C'est parce que... »

a. Leur reportage sur la pêche n'a pas été bien reçu.
b. Le *talkie-walkie* n'a pas fonctionné.
c. Ils n'ont pas vu les voleurs partir.
d. Laurent n'a pas mangé son sandwich.
e. Le passant a jeté sa bouteille.
f. Laurent n'a pas pu ouvrir le coffre.
g. Ils n'ont pas pu arriver avant le départ du bateau.
h. Bernard est parti en Corse.

C Et maintenant, communiquez

22 | Expliquez.

a. Pourquoi M. Duray est-il venu à Nice ?
b. Pourquoi Laurent demande-t-il à Xavier de trouver des *talkies-walkies* ?
c. Pourquoi Martine propose-t-elle de jouer à « pile ou face » ?
d. Pourquoi Bernard se met-il dans le coffre ?
e. Pourquoi le commissaire parle-t-il d'une histoire de fous ?
f. Pourquoi Martine devine-t-elle que Bernard est sur un bateau ?
g. Pourquoi le policier demande-t-il si Bernard est caché dans l'attaché-case ?
h. Pourquoi Martine dit-elle que c'est trop pour une journée ?

3| Qu'est-ce que vous dites dans ces situations ?

Vous n'avez pas envie de dire « oui ».

a. Un(e) ami(e) veut vous emprunter votre ordinateur.
b. Un(e) ami(e) vous demande de lui prêter cinq cents francs.
c. Un(e) ami(e) vous demande d'aller chercher quelqu'un à l'aéroport à sa place.
d. Un(e) ami(e) veut vous emprunter votre voiture.
e. Un(e) ami(e) veut que vous l'invitiez à déjeuner.
f. Un(e) ami(e) vous demande de lui garder ses enfants.

4| Faites des objections.

a. Vous voulez acheter une voiture ou une moto. On vous en montre plusieurs mais aucune ne vous convient vraiment.
b. On vous propose d'aller travailler dans une ferme. Vous n'êtes pas très enthousiaste.
c. On vous propose d'aller à la pêche. Ça ne vous enchante pas.

5| Qu'est-ce qu'ils veulent dire ?

Trouvez une expression de sens équivalent.
Exemple : « Eh bien, il y a votre voiture... »
= « Nous pourrions peut-être utiliser votre voiture... »

a. Soyez tranquille.
b. Si tu as envie de prendre ma place, ne te gêne pas !
c. Je t'avais dit jambon-beurre !
d. Il n'y a pas beaucoup de clients !
e. Ah, moi, je n'hésiterais pas !
f. Je ne sais pas, moi !
g. Eh bien, bravo ! C'est réussi !
h. En attendant, la voiture...

6| Imaginez d'autres propositions de reportages et les objections de M. Duray.

Exemple : « On pourrait faire un reportage sur le T.G.V.
– Ce n'est plus d'actualité. »

7| L'histoire pourrait se passer autrement.

Par exemple : Monsieur Duray refuse de prêter sa voiture. Martine, Laurent et Bernard vont en louer une. Martine et Laurent retrouvent la voiture avant le départ du bateau pour la Corse.
Imaginez d'autres événements...

8| Au lieu de téléphoner, Martine écrit une lettre à M. Duray pour raconter toute l'histoire.

29 **Que vous a appris cet épisode...**

a. ... sur le travail des journalistes ?
b. ... sur monsieur Duray ?

30 **Écoutez le texte sur les Français et la voiture et prenez des notes en complétant les phrases**

a. La voiture existe depuis ____________.
b. Ce qui a freiné la passion pour les voitures, c'est ____________.
c. ____________ des Français disent qu'ils aiment conduire.
d. Ce qu'ils préfèrent, dans la voiture, c'est
– ____________
– ____________
– ____________
e. Il y a en France ____________ voitures pour mille habitants.
f. ____________ des Français n'utilisent pas de voiture.
g. En France la voiture fait partie ____________.

31 **La voiture a-t-elle une importance comparable dans votre pays ?**
Comment réagissez-vous personnellement ?

D *Étudiez les pages « Reportage »*

32 **Écoutez l'interview du commandant du car-ferry, *Le Corse*, prenez des notes, et dites ce que vous avez appris sur le métier de commandant de bateau.**

33 **Étudiez le texte de la chanson de Charles Trenet.**

a. Dans cette chanson, la mer est évoquée à deux saisons différentes. Lesquelles ?
b. Quel aspect de la mer évoque la chanson ? ☐ agitée, dangereuse ☐ calme, paisible
c. Associez des mots du texte avec l'aspect choisi en b.
d. Quelles impressions dominent dans la chanson ? (visuelles, auditives, tactiles,...) Nommez les éléments que vous pourriez dessiner.
e. La mer est comparée à une « bergère d'azur infinie ». Que fait cette bergère ? Quel effet a-t-elle sur le cœur du poète ?
f. Est-ce que vous ressentez la mer de cette manière ?
g. Cette chanson a été un grand succès international. À quoi attribuez-vous ce succès (beauté du tableau, sentiments évoqués, sensations rassurantes, beauté de la mélodie...) ?

Deux buts à zéro !

A Observez le film et vous comprendrez

1 **Observez la réaction des personnages.**

a. Quand Martine leur dit que M. Duray veut des reportages sur le football, Laurent et Bernard
☐ sont heureux. ☐ sont mécontents.
☐ se disputent pour savoir qui les fera.

b. Quand Martine leur dit qu'elle va faire le premier reportage, Laurent et Bernard
☐ se moquent d'elle. ☐ l'encouragent. ☐ trouvent l'idée excellente.

c. Quand Martine lui demande de faire le reportage avec elle, Jean-Pierre
☐ accepte avec joie. ☐ refuse. ☐ hésite à cause de son proviseur.

d. Quand le capitaine le fait membre d'honneur de l'équipe de Nice, Jean-Pierre
☐ trouve ça naturel. ☐ est plutôt ennuyé. ☐ est très ému.

e. Quand Martine essaie de le convaincre, le proviseur
☐ cède à regret. ☐ est heureux de lui faire plaisir. ☐ refuse.

f. Quand Martine leur dit qu'elle repart au stade avec Jean-Pierre, Laurent et Bernard
☐ sont tout à fait d'accord. ☐ protestent.
☐ ne font pas attention à ce qu'elle dit.

2 **Souvenez-vous.**

a. Le proviseur menace Jean-Pierre de le renvoyer du lycée
☐ parce qu'il ne s'intéresse qu'au football et pas à ses études.
☐ parce qu'il n'y a pas d'épreuve de football à l'examen de fin d'études secondaires.

b. Laurent et Bernard trouvent des raisons de ne pas faire le reportage
☐ parce qu'ils ont peur de devenir des reporters sportifs.
☐ parce qu'ils ne connaissent rien au football.

c. Martine demande à Jean-Pierre son aide pour le reportage
☐ parce qu'elle s'est rendu compte qu'il savait tout sur le football.
☐ parce que, de cette manière, il pourra avoir une bonne place pour voir le match.

d. M. Duray est venu de Lyon
- ☐ parce que le reportage de Martine et de Jean-Pierre a été une réussite.
- ☐ parce que Nice a gagné le match.

e. Le proviseur est en colère contre Jean-Pierre
- ☐ parce que Jean-Pierre est devenu une vedette de la radio.
- ☐ parce que ses résultats sont toujours aussi mauvais.

f. Laurent et Bernard font les devoirs de Jean-Pierre
- ☐ parce qu'ils aiment ça.
- ☐ parce que Jean-Pierre n'a pas le temps de les faire.

3 Revoyez l'épisode, lisez le texte du dialogue dans votre livre (pp. 103 à 106), et remplissez le tableau suivant.

numéro de la scène	*lieux*	*personnages*	*ce qui se passe*
Première partie du feuilleton			
1	au café		
2	dans le bureau du proviseur d'un lycée		
3	dans le bureau de M. Duray à Lyon		
4	dans le bureau de *Lyon-Matin* à Nice		
5	sur un terrain de sport		
6	au stade de l'O.G.C. Nice		
Deuxième partie du feuilleton			
7	au stade de l'O.G.C. Nice		
8	à la terrasse d'un grand restaurant		
9	dans le bureau du proviseur du lycée		
10	dans le bureau de *Lyon-Matin* à Nice		
11	au stade de l'O.G.C. Nice		

4| Avez-vous remarqué...

a. ... à quoi jouent les élèves du lycée au café ?
b. ... qui, de Toulouse ou de Nice, a gagné le match ?
c. ... ce que le capitaine de l'équipe de Nice remet à Jean-Pierre ?

5| Quelles sont, d'après vous, les scènes les plus importantes de l'épisode ? Les plus amusantes ?

6| Quand ont-ils dit ces phrases ?

Aidez-vous du tableau de l'exercice 3 pour citer le numéro de la scène, dites le nom du personnage qui parle, et décrivez brièvement la situation.

Exemple : « Minute ! Le temps de prendre un café ! »
Scène 1 – Bernard – Laurent veut partir au travail sans attendre. Bernard veut prendre son temps.

a. « Je suis inquiet pour vous ! »
b. « J'ai une grande nouvelle... »
c. « Mais où est le problème ? »
d. « Toi ! Une femme pour le foot ! »
e. « Sans lui, je n'aurais jamais pu faire ce reportage. »
f. « Eh bien, ne dis rien ! »
g. « Je dois applaudir aussi ! »
h. ...« J'ai dû m'y remettre. »

B Exercez-vous

7| Reliez ces éléments deux à deux pour retrouver des expressions du texte.

a. se mettre	1. d'honneur
b. le coup	2. au travail
c. une remise	3. son tir
d. faire	4. une chance
e. un membre	5. son temps
f. donner	6. en jeu
g. armer	7. confiance
h. prendre	8. d'envoi

8 Éliminez l'expression ou le mot différent.

a. fêter – intercepter – féliciter – applaudir
b. exaltant – magnifique – mauvais – imparable
c. courir – gagner – se qualifier – perdre
d. proposer – tirer – égaliser – marquer
e. coup d'envoi – maillot – tir – presse
f. attaque – interception – buteur – défense
g. centrer – déborder – relancer – fêter
h. rond central – ballon – touche – but

9 Complétez ces phrases avec des prépositions, si nécessaire.

a. Je suis assistée ____________ Jean-Pierre.
b. Ils font le forcing ____________ égaliser.
c. Le tir était impossible ____________ arrêter.
d. Nous avons assisté ____________ un très beau match.
e. Je suis venu ____________ fêter cette victoire.
f. Nous le faisons ____________ membre d'honneur.
g. Nous, nous restons ici ____________ faire les devoirs de Jean-Pierre.
h. Nous l'aidons ____________ passer son baccalauréat.

10 Distribuez les rôles.

Exemple : jouer au baby-foot → *C'est Jean-Pierre qui joue au* baby-foot.

a. diriger le bureau
b. être inquiet
c. avoir une passion pour le football
d. faire une proposition
e. faire les commentaires
f. féliciter Martine
g. faire Jean-Pierre membre d'honneur
h. faire les devoirs

11 Que disent-ils ?

Exemple : Martine, à Jean-Pierre : « C'est moi qui ai fait le reportage du match Nice-Toulouse. C'est toi qui m'as aidée. C'est parce que tu m'as aidée que nous avons réussi... »
Imaginez ce que peuvent dire les autres personnages.

12 Que peuvent-ils répondre ?

Exemple : Martine : « Si tu m'aides, je parlerai à ton proviseur.
Jean-Pierre : – Oui, si tu parles à mon proviseur, je t'aiderai. »

a. Si tu fais le reportage avec moi, tu auras une place dans les tribunes de la presse.
b. Si tu acceptes ma proposition, ça t'intéressera.
c. Si ton proviseur écoute le reportage, il ne sera pas content.
d. Si tu les remercies, ils t'aideront.

3 Vous avez bien regardé ?

Exemple : le reportage / faire → Le reportage a été fait par Martine et Jean-Pierre.

a. autorisation / obtenir
b. reproches / faire
c. match / gagner
d. buts / marquer
e. remise en jeu / faire
f. ballon / relancer
g. coup de filet final / donner
h. Martine / aider
i. devoirs de Jean-Pierre / faire

4 Est-ce le passif du présent ou le passé composé ?

Écoutez et cochez la case correspondante.

Exemple : Martine est assistée par Jean-Pierre.

a. L'équipe de Nice s'est qualifiée.
b. *Radio-Rivage* est devenue la station du football.
c. Le proviseur est allé voir le match.
d. Le tir est arrêté par le gardien de but.
e. Martine est félicitée.
f. M. Duray est venu.
g. Laurent et Bernard sont restés au bureau.
h. Tout s'est bien passé.

Passif du présent	*Passé composé*
X	

5 Qu'est-ce qu'ils font ?

Faites correspondre ce qu'ils disent et ce qu'ils font.

a. « Pour moi, c'est Platini le meilleur... »
b. « Si vous êtes encore absent, je vous renvoie. »
c. « Je ne sais pas si je peux accepter. »
d. « Si tu viens avec moi..., je vais parler à ton proviseur. »
e. « J'ai toujours su qu'on pouvait faire entière confiance à Martine Doucet. »
f. « Sans lui, je n'aurais pas pu faire ce reportage. »
g. « Je dois applaudir aussi ? »
h. « Je veux bien fermer les yeux pour les matchs de football. »

1. Jean-Pierre hésite.
2. M. Duray félicite.
3. Martine remercie.
4. Le proviseur exprime sa colère.
5. Le proviseur fait une concession.
6. Un jeune garçon donne son opinion.
7. Martine fait une proposition.
8. Le proviseur menace.

16 Trouvez la question.

a. ______________________ C'est Platini.
b. ______________________ L'autorisation.
c. ______________________ Et pourquoi pas ?
d. ______________________ À cause du proviseur.
e. ______________________ Pour fêter cette victoire.
f. ______________________ Pas sans lui.
g. ______________________ Pour les maths.
h. ______________________ Oui, j'ai dû m'y remettre

17 Écoutez et complétez le texte.

Si M. Duray n'avait pas __________ l'autorisation, Martine n'__________ pas pu fai le reportage. __________ Jean-Pierre, qu'aurait-elle fait ? Mais finalement, tout s'est bie passé. Martine et Jean-Pierre étaient dans les tribunes. C'est __________ qui ont fait le commentaires. C'est toi qui __________, dit Martine. Sans toi, il n'y __________ d reportage. Aussi le capitaine a fait Jean-Pierre __________ de l'équipe de Nice. M. Duray __________ de Lyon pour les féliciter. Mais Jean-Pierre __________ passe son bac ? L'aide de Laurent et Bernard __________ suffisante ?

18 Marquez nettement votre différence d'opinion.

Exemple : « J'aime beaucoup Bellone. – Moi, c'est Platini que je préfère. »
« Les Niçois sont les plus forts. – Pour moi, ce sont les Toulousains. »

a. J'aime beaucoup Toulouse.
b. J'aime travailler à Nice.
c. Nice est la meilleure équipe.
d. J'aime suivre les matchs à la radio.
e. J'aime voir Toulouse jouer.
f. *Radio-Rivage* est la meilleure station de radio.

19 Qu'est-ce qui pourrait se passer ?

Exemple : Jean-Pierre / travailler / avoir le bac → Si Jean-Pierre travaillait, il aurait son ba

a. Laurent / vouloir / faire le reportage
b. Bernard / s'y intéresser / aider Martine
c. Jean-Pierre / ne faire que du football / être renvoyé du lycée
d. le proviseur / être vraiment sévère / renvoyer Jean-Pierre
e. l'équipe de Toulouse / jouer mieux / gagner
f. l'équipe de Nice / gagner tous ses matchs / être première du championnat
g. les Bordelais / obtenir un match nul / être satisfait

10 Ils n'auraient pas dû faire ça !

Exemple : Martine a demandé à Jean-Pierre de l'aider.→ Elle n'aurait pas dû le lui demander.

a. Bernard a refusé de faire le reportage.
b. Laurent s'est moqué de Martine.
c. Le proviseur s'est mis en colère.
d. Martine a essayé d'excuser Jean-Pierre.
e. Le proviseur a écouté le reportage à la radio.
f. Le proviseur s'est laissé convaincre.
g. Martine a promis que Jean-Pierre allait travailler.
h. Laurent et Bernard ont accepté de faire les devoirs de Jean-Pierre.

11 Éliminez les expressions qui ne conviennent pas....

a. Pour féliciter quelqu'un :
- ☐ J'ai toujours su qu'on pouvait vous faire confiance.
- ☐ Une femme pour un match de football !
- ☐ Grâce à vous, c'est une réussite !
- ☐ Sans vous, on n'aurait jamais pu obtenir ce résultat.
- ☐ C'est une réussite remarquable !

b. Pour menacer quelqu'un :
- ☐ Si vous ne travaillez pas mieux, vous serez renvoyé.
- ☐ Si tu ne peux pas m'aider, je ferai le reportage sans toi.
- ☐ Le football, ça vous aidera toujours dans la vie !
- ☐ Si vous ne faites pas un effort, je ne vous aiderai pas.
- ☐ Acceptez et vous verrez ce qui vous arrivera !

C *Et maintenant, communiquez*

12 Félicitez et remerciez.

a. Vous assistez au cocktail de la scène 8. Vous félicitez Jean-Pierre.
b. Vous félicitez M. Duray de son initiative.
c. Vous félicitez Martine.
d. Vous remerciez le proviseur.
e. Vous remerciez Laurent et Bernard d'avoir aidé Jean-Pierre.
f. Vous félicitez un ami qui vient de réussir à un examen.

23| Faites des promesses et rendez-les plus sûres en donnant des raisons.

a. À des amis : Vous allez leur écrire ou les voir plus souvent (s'ils viennent habiter prè de chez vous, si...).
b. À vos enfants ou à vos parents : Vous allez pouvoir vous occuper d'eux davantage (s vous changez de travail, si...).
c. À vos camarades de l'équipe de football de votre école : Vous allez jouer avec eux plu souvent (si...).

24| Qu'est-ce qu'ils veulent dire ?

Trouvez une expression de sens équivalent pour expliquer.

Exemple : Laurent : Mais qui va le faire ? = Ce n'est certainement pas moi !

a. Toi ! Une femme pour le foot !
b. Vous êtes bien tous les mêmes !
c. Je suis inquiet pour vous !
d. Le match est reparti maintenant.
e. Je veux bien fermer les yeux pour les matchs de football.
f. J'ai dû m'y remettre.

25| Que vous a appris cet épisode...

a. ... sur l'O.G.C. Nice ?
b. ... sur Jean-Pierre ?
c. ... sur le proviseur ?

26| L'histoire aurait pu se passer autrement.

Par exemple : Jean-Pierre ne fait pas le reportage.
Nice perd le match.

27| Écoutez le texte sur le Tour de France et prenez des notes en complétant les phrases.

a. Le cyclisme vient après ____________ en popularité.
b. Le Tour de France existe depuis ____________.
c. Il a lieu tous les ans au mois de ____________.
d. Il dure ____________.
e. Il se court par étapes sur une distance de ____________.
f. Il y a environ ____________ participants.
g. L'arrivée se fait à ____________.
h. Une équipe colombienne y a participé pour la première fois en ____________.
i. Le Tour de France féminin est plus ____________.
j. La caravane du Tour compte ____________ personnes.

28 | **Bernard, qui en a assez de faire des maths pour Jean-Pierre, raconte l'histoire à un ami.**

29 | **Quels sont les sports les plus populaires dans votre pays ?**

D Étudiez les pages « Reportage »

30 | **Écoutez l'interview de l'entraîneur de l'O.G.C. Nice et dites ce que vous avez appris sur le métier d'entraîneur d'équipe de football.**

31 | **Étudiez la bande dessinée (livre p. 109).**

Image n° 1 :

a. Que font les personnages au premier plan ?
b. Un groupe de soldats est en train d'arriver. Qui sont-ils ?
c. Ils ont l'air ☐ pressé ☐ tranquille ☐ furieux ☐ menaçant
d. Que recherchent-ils ?
e. Les joueurs de pétanque ont-ils l'air troublé ou inquiet ?

Image n° 2 :

f. Que veut faire le soldat romain ?
g. Que lui répond le joueur de pétanque ?

Image n° 3 :

h. Quel est le plus grand (et le plus fort) des deux personnages ?
i. Quel est celui qui parle le plus fort ?
Comment peut-on s'en rendre compte ?
j. Quelle menace fait-il au Romain ?
Cette menace n'est-elle pas « un peu exagérée » ?

Image n° 4 :

k. Les Romains sont-ils passés ?
l. Les habitants de Massilia (aujourd'hui Marseille) jouent-ils plus rapidement ?
m. Qu'est-ce que le joueur qui tient la boule doit décider ?
n. Quelle raison peuvent avoir les Gaulois pour arrêter les soldats romains ?
Qui sont les deux criminels recherchés par les soldats romains ?
o. Qui est ridiculisé dans cette séquence ? Comment ?
p. Qu'est-ce que vous apprenez sur le comportement des Provençaux grâce à cette séquence humoristique ?

23

Tous à cheval !

A Observez le film et vous comprendrez

1 Observez la réaction des personnages.

a. Quand il téléphone à Martine, M. Duray est
☐ hésitant. ☐ sûr de lui. ☐ de mauvaise humeur.

b. Quand Bernard le réveille pour partir en Camargue, Laurent
☐ se lève tout de suite. ☐ lui dit d'attendre. ☐ fait semblant d'être malade

c. Quand son ami l'invite à faire une promenade en Camargue, M. Duray
☐ semble gêné et s'excuse. ☐ remercie avec un sourire. ☐ accepte avec joie

d. Après le départ du médecin, M. Duray parle à Bernard et
☐ le traite en grand malade. ☐ plaisante avec lui. ☐ lui exprime ses regrets

e. Quand M. Duray et le gardian se moquent de lui, Bernard
☐ se met en colère. ☐ cherche à se justifier.
☐ fait semblant de ne pas comprendre.

2 Souvenez-vous.

a. Martine est hésitante au téléphone
☐ parce que M. Duray ne lui laisse pas le temps de prendre une décision.
☐ parce qu'elle n'a aucune envie d'aller passer le week-end en Camargue.

b. Laurent fait semblant d'être malade
☐ pour se faire plaindre.
☐ parce qu'il n'a pas envie d'aller en Camargue.

c. Bernard dit qu'il sait monter à cheval
☐ parce qu'il ne sait pas que la promenade se fait à cheval.
☐ parce qu'il aime se vanter.

d. Bernard tombe de cheval
- ☐ parce que le cheval ne court pas assez vite.
- ☐ parce que le cheval n'écoute pas ses ordres.

e. M. Duray plaisante avec Bernard sur son accident
- ☐ pour lui montrer qu'il l'excuse.
- ☐ pour lui dire de ne pas faire de bêtises.

3 | Revoyez l'épisode, lisez le texte du dialogue dans votre livre (pp. 115 à 118), et remplissez le tableau suivant.

numéro de la scène	*lieux*	*personnages*	*ce qui se passe*
	Première partie du feuilleton		
1	dans le bureau de *Lyon-Matin*		
2	dans l'appartement de Laurent et Bernard		
3	dans la voiture de Bernard		
4	en Camargue, chez Denys de La Canardière		
	Deuxième partie du feuilleton		
5	devant la maison		
6	devant la maison		
7	en Camargue		
8	en Camargue	Bernard à cheval	
9	devant la maison de Denys de La Canardière		
10	au téléphone		
11	devant la maison, à table		
12	devant la maison		

4 | Avez-vous remarqué...

a. ... comment réagit Laurent après le départ de Bernard ?
b. ... comment Denys de La Canardière accueille Martine et Bernard ?
c. ... ce que fait M. Duray quand ses amis sont partis en promenade ?

5 **Quelles sont, d'après vous, les scènes les plus importantes de l'épisode ? Les plus amusantes ?**

6 **Quand ont-ils dit ces phrases ?**
Aidez-vous du tableau de l'exercice 3 pour citer le numéro de la scène, dites le nom du personnage qui parle, et décrivez brièvement la situation.

Exemple : « Ordres du Commandant Duray ! »
Scène 2 – Bernard – Bernard explique à Laurent ce que veut M. Duray.

a. « Il a dû attraper froid. »
b. « Ah bon... c'est dommage pour lui. »
c. « Ça va... je me débrouille. »
d. « Je n'en avais jamais vu autant ! »
e. « Je disais ça pour rire. Ne soyez pas fâché ! »
f. « Que veux-tu que j'y fasse ! »

B Exercez-vous

7 **Reliez ces éléments deux à deux pour retrouver des expressions du texte.**

a.	attraper	1.	pour rire
b.	une chaise	2.	des bêtises
c.	une réserve	3.	de grave
d.	dire ça	4.	un bandage
e.	rien	5.	d'oiseaux
f.	faire	6.	froid
g.	mettre	7.	longue

8 **Éliminez l'expression ou le mot différent.**

a. cheval – cavalier – taureau – flamant rose
b. avoir chaud – avoir soif – avoir de l'argent – avoir faim
c. formidable – fantastique – magnifique – désagréable
d. hamac – chaise longue – poignet – lit
e. rester couché – se débrouiller – se reposer – se lever

9 Complétez ces phrases avec des prépositions.

a. Laurent n'avait pas envie ______ aller en Camargue.
b. M. Duray était désolé ______ ne pas le voir.
c. C'était dommage ______ lui.
d. M. Duray avait du travail ______ faire.
e. Bernard est tombé ______ cheval ______ cause de la selle.
f. Le gardian a demandé à Bernard s'il avait appris ______ monter ______ cheval au cirque Barnum.
g. Mais il disait ça ______ rire.
h. Bernard n'a rien eu ______ grave.

0 Dites que ces choses sont seulement probables.

Exemple : « Il a attrapé froid ? – Oui, il a dû attraper froid. »

a. M. Duray a téléphoné ?
b. Il est parti en Camargue ?
c. Il a prévenu Laurent ?
d. Laurent est resté seul ?
e. Laurent a attrapé la grippe ?
f. Laurent a pris froid hier soir ?
g. Il faisait froid dans l'appartement ?

1 Tirez votre propre conclusion.

Exemple : Il fait chaud et ils ont couru. → Ils doivent avoir soif.

a. Ils n'ont rien mangé hier soir.
b. Il n'y avait pas de chauffage dans leur appartement.
c. M. Duray n'a pas accompagné ses amis.
d. Bernard veut faire une promenade à cheval.
e. Bernard a pris son appareil photo.
f. Bernard est tombé. Il a mal au poignet.

2 Donnez une explication.

Exemple : Il a la grippe. → Il a dû attraper froid.
ou : C'est parce qu'il n'y avait pas de chauffage.

a. Bernard est tombé de cheval.
b. Il s'est fait une entorse.
c. Il a le bras en écharpe.
d. Laurent a fait semblant d'avoir la grippe.
e. Il est resté à Nice.
f. Il n'a pas voulu que Bernard appelle un médecin.
g. M. Duray a dit qu'il avait du travail.
h. Il n'est pas allé en promenade.

23

13 Qu'est-ce qui leur arrive ?

Utilisez : vouloir, être heureux de, regretter, souhaiter...

Exemple : M. Duray / inviter ses collaborateurs
→ M. Duray est heureux d'inviter ses collaborateurs.

a. Laurent / rester à Nice
b. Denys de La Canardière / les accueillir
c. Bernard / monter à cheval
d. M. Duray / se reposer
e. Martine / appeler un médecin
f. Bernard / rentrer à Nice

14 Écoutez et complétez les phrases.

Martine et Bernard sont heureux qu'il ____________ beau et que ces deux jours de vacances ____________ si agréables. Ils regrettent que Laurent ____________ resté à Nice. Ils souhaitent que tout ____________ bien pour lui. « Il faut que tu lui ____________. Il faut que tu ____________ de ses nouvelles », dit Bernard à Martine. Quel dommage que Bernard ne ____________ pas du cheval plus souvent ! Il ne ____________ pas tombé ! Maintenant il faut qu'un médecin ____________ et que Bernard ____________ davantage attention.

15 Indicatif ou subjonctif ?

Choisissez la forme du verbe qui convient.

Exemple : J'espère que Laurent viendra ____________.
Je veux que Laurent vienne ____________.

(venir) a. Je pense que Laurent ____________.
b. Je souhaite que Laurent ____________.

(partir) c. Je crois que Bernard ____________.
d. Je regrette que Bernard ____________.

(appeler) e. Il faut que Martine ____________ un médecin.
f. J'espère que Martine ____________ un médecin.

(faire) g. Que veux-tu qu'ils y ____________ ?
h. Que crois-tu qu'il ____________ ?

16 Ils sont heureux ou ils le regrettent ?

Exemple : M. Duray / Laurent est malade.
→ M. Duray regrette que Laurent soit malade.

a. M. Duray / Martine accepte l'invitation
b. Martine / M. Duray l'invite
c. Laurent / ses amis partent
d. D. de La Canardière / ses amis viennent
e. Bernard / ils font une promenade à cheval
f. Martine / Bernard est tombé

17 **Ils expriment leurs regrets !**

Exemple :
M. Duray : « J'aurais préféré que Laurent vienne. Je regrette que Laurent ne soit pas venu. Quel dommage que Laurent ne soit pas venu ! Laurent aurait dû venir... »

Quels regrets peuvent exprimer...

a. Martine : ______________________________.

b. Bernard : ______________________________.

c. Denys de La Canardière : ______________________________.

18 **Qu'est-ce qu'ils font ?**

Faites correspondre ce qu'ils disent et ce qu'ils font.

a. « Ordres du commandant Duray ! »
b. « Ça aurait été formidable ! »
c. « Il est désolé, mais il est malade... »
d. « Non... vous savez... le travail... »
e. « Mais il est fou, ce cheval ! »
f. « Je disais ça pour rire ! »
g. « Ah, rien de bien grave. »

1. M. Duray se justifie.
2. Bernard exprime sa peur.
3. Le gardian s'excuse de sa plaisanterie.
4. Le médecin rassure Bernard.
5. Laurent exprime un regret.
6. Bernard cite M. Duray en plaisantant.
7. Martine présente les excuses de Laurent.

19 **Trouvez la question.**

a. ______________________________ Un reportage très intéressant.

b. ______________________________ Mais oui, on est en retard !

c. ______________________________ Sans doute la grippe...

d. ______________________________ Hier soir, il devait faire froid.

e. ______________________________ Non, il vous demande de l'excuser.

f. ______________________________ De bonne heure, vers 7 heures.

g. ______________________________ C'est à cause de la selle.

h. ______________________________ Pas très bien.

20 **Éliminez les expressions qui ne conviennent pas.**

a. Pour demander des nouvelles de quelqu'un :

☐ Qu'est-ce que tu as ?
☐ Ça va où ?
☐ Vous n'avez pas trop mal ?
☐ Rien de bien grave ?

b. Pour faire des suppositions :

☐ Je crois que c'est sérieux.
☐ C'est parce qu'il faisait froid, je pense.
☐ C'est sans doute à cause de la selle.
☐ Tout ça est bien curieux...

21 **Qu'est-ce que vous pouvez leur dire ?**

Exemple : Quelqu'un risque de se mettre en colère pour une petite moquerie.
Vous lui dites : « Ne soyez pas fâché. »

a. Quelqu'un est très pressé et ne veut pas attendre.
b. Quelqu'un se montre trop confiant, trop sûr de lui.
c. Quelqu'un se montre trop curieux.
d. Quelqu'un est trop lent pour faire un travail urgent.
e. Quelqu'un vous paraît trop gentil et on peut profiter de lui.
f. Quelqu'un semble ne pas comprendre une chose très simple.

C Et maintenant, communiquez

22 **Faites des suppositions sur des événements passés.**

Exemple : Votre ami(e) a une grippe.
« Il(elle) a dû sortir sous la pluie. »

Votre ami(e)

a. est en retard.
b. ne répond pas au téléphone.
c. ne vous a pas écrit.
d. vient de s'acheter une voiture.
e. a changé de travail.
f. fait du cheval.
g. va passer un mois chez des parents
h. a une bonne situation.

23 **Faites des suppositions sur des événements futurs.**

Parlez

a. du temps qu'il fera l'été prochain.
b. de la grippe de Laurent.
c. d'un prochain week-end en Camargue.
d. de ce que vous voulez faire dans la vie
e. de ce qui va changer autour de vous.
f. de l'entorse de Bernard.

ou de tout ce qui peut se produire et qui vous intéresse.

24 **Qu'est-ce qu'ils veulent dire ?**

Trouvez une expression de sens équivalent.

Exemple : « Ordre du commandant Duray ! »
= « C'est M. Duray, notre patron, qui le veut et il se conduit en vrai militaire ! »

a. Ce week-end, ça aurait été formidable.
b. Il doit faire chaud sur la route.
c. Ça va... je me débrouille.
d. Pour moi, pas de problème !
e. Tout ça est très curieux...
f. Que veux-tu que j'y fasse !
g. Pas terrible...
h. Moi aussi, j'ai fait des bêtises.

5| **Que vous a appris cet épisode...**

a. ... sur la Camargue ?

b. ... sur les différents personnages d'*Avec Plaisir* ?

6| **Le jeune gardian écrit à un de ses amis pour lui raconter l'histoire.**

7| **Jeu de rôle.**

Un de vos amis est malade. Vous lui demandez où il a mal et ce que vous pouvez faire pour lui. Vous proposez d'appeler un médecin.
Il refuse au début, puis finit par accepter...

8| **Écoutez le texte sur les parcs naturels et prenez des notes en complétant les phrases.**

a. Les premiers parcs naturels ont été créés en France en ______________.

b. Il y a ______________ parcs nationaux.

c. Les parcs nationaux sont ______________.

d. Il existe également ______________.

e. On y fait : ______________
____
______________.

f. On y a créé des réserves ______________.

g. Le principal danger semble être ______________.

9| **Que savez-vous des activités de protection de la nature dans votre pays ?**

D *Étudiez les pages « Reportage »*

0| **Écoutez l'interview de Denys de La Canardière, manadier en Camargue, prenez des notes, et dites ce que vous avez appris sur le métier de manadier et sur la Camargue.**

1| **Imaginez une suite au début de l'histoire de Crin-Blanc.**

Silence ! On tourne...

A Observez le film et vous comprendrez

1 | Observez la réaction des personnages.

a. Quand le metteur en scène l'engage pour la scène de la plage, le garçon
☐ est gêné. ☐ est heureux. ☐ est hésitant.

b. Quand le metteur en scène suggère de faire faire un essai à Martine, l'assistant
☐ reste indifférent. ☐ trouve l'idée excellente. ☐ n'est pas très enthousiast

c. Quand Martine leur dit qu'on l'a engagée, Laurent et Bernard
☐ applaudissent. ☐ se moquent d'elle. ☐ ne sont pas contents et se plaigner

d. Quand Martine demande du feu à son partenaire, le pompier
☐ n'intervient pas. ☐ proteste. ☐ sourit.

e. Quand Martine lui donne une bonne gifle, son partenaire
☐ a très peur. ☐ lui donne une gifle à son tour. ☐ garde son sang-froi

f. Quand elle est emportée par la grue, Martine
☐ reste calme. ☐ est très effrayée. ☐ s'amuse beaucoup.

g. Quand on projette le film, Martine
☐ va féliciter le metteur en scène. ☐ est très contente. ☐ est triste.

2 | Avez-vous remarqué...

a. ... à quoi servent les cubes sur le plateau de tournage ?
b. ... sur quoi l'opérateur s'assoit ?
c. ... ce qu'il y a sur l'affiche annonçant le film *Virginia et l'amour* ?

3 | Quelles sont, d'après vous, les scènes les plus importantes de l'épisode ? Les plus amusantes ?

1 | **Revoyez l'épisode, lisez le texte du dialogue dans le livre (pp. 127 à 130), et remplissez le tableau suivant.**

numéro de la scène	*lieux*	*personnages*	*ce qui se passe*
		Première partie du feuilleton	
1	devant les studios de la Victorine, à Nice		
2	dans le studio n° 1		
3	dans le studio n° 1	Martine	
4	dans le bureau de *Lyon-Matin* à Nice		
5	dans le studio n° 1		
6	dans le bureau de *Lyon-Matin* à Nice		
		Deuxième partie du feuilleton	
7	dans les studios de La Victorine		
8	sur le plateau		
9	sur le plateau	le pompier	
10	dans les studios, sur le plateau		
11	dans les studios, sur la grue	Martine et le metteur en scène	
12	au bureau		
13	dans la salle de projection		
14	à la sortie de la salle de projection		
15	devant un petit cinéma, à Nice	deux jeunes garçons	
16	devant un petit cinéma, à Nice	deux jeunes garçons + Martine	

5 Souvenez-vous.

a. Martine va aux studios de la Victorine
- ☐ parce qu'elle va jouer dans un film.
- ☐ parce qu'elle va faire un reportage.

b. Le metteur en scène fait faire un essai à Martine
- ☐ parce qu'une de ses actrices ne peut plus jouer.
- ☐ parce qu'il y a un rôle de journaliste dans le film.

c. Laurent et Bernard ne sont pas contents
- ☐ parce qu'ils voudraient faire du cinéma eux aussi.
- ☐ parce qu'ils auront à faire le travail de Martine.

d. Martine n'arrive pas à être naturelle
- ☐ parce que sa robe et ses chaussures lui font mal.
- ☐ parce qu'elle a besoin d'un cube.

e. Le pompier intervient
- ☐ parce qu'il n'aime pas l'odeur des cigarettes.
- ☐ parce qu'il est interdit de fumer dans les studios.

f. Le partenaire de Martine quitte le studio, furieux,
- ☐ parce qu'il n'aime pas le film.
- ☐ parce que la gifle de Martine lui a fait très mal.

g. Le metteur en scène ne fait rien pour délivrer Martine
- ☐ parce qu'il préfère la voir là-haut.
- ☐ parce qu'il est furieux lui-même.

6 Quand ont-ils dit ces phrases ?

Aidez-vous du tableau de l'exercice 4 pour citer le numéro de la scène, dites le nom du pe[rs]onnage qui parle, et décrivez brièvement la situation.

Exemple : « Vous ne pouvez pas vous tromper, c'est le plus grand. »
scène 2 – Le gardien des studios de La Victorine – Il indique le chemin à Mart[ine]

a. ... « À moins de lui faire jouer un rôle de mère de famille... »
b. « Par moments, tu n'es vraiment pas drôle. »
c. ... « Il m'arrive une histoire incroyable ! »
d. « Alors tu veux qu'on fasse ton travail ! »
e. « Si je suis heureuse ? Ravie ! »
f. « Eh, mais ça ne va pas, ça ! »
g. ... « Si c'est comme ça, je m'en vais ! »
h. « Au secours, c'est une folle ! »
i. « Je n'en peux plus ! »
j. « Ce n'est pas un chef-d'œuvre ! »

B Exercez-vous

7 | **Reliez ces éléments deux à deux pour retrouver des expressions du texte.**

a.	le permis	1.	une gifle
b.	attendre	2.	un geste
c.	une mère	3.	de projection
d.	les services	4.	de conduire
e.	donner	5.	de famille
f.	avoir	6.	de sécurité
g.	une salle	7.	un enfant
h.	faire	8.	le vertige

8 | **Éliminez l'expression ou le mot différent.**

a. opérateur – cameraman – tournage – preneur de son
b. cadrer – se tromper – tourner – couper
c. grue – caméra – cube – séquence
d. scène – comédien – plan – séquence
e. convoquer – engager – approcher – remplacer

9 | **Complétez ces phrases avec des prépositions.**

Le metteur en scène veut engager Martine __________ le rôle de Monika. Elle sera convoquée __________ quelques jours. L'assistant n'est pas __________ cet avis. Puis Martine cherche __________ convaincre ses amis. Elle leur fait promettre __________ faire son travail. Ils la remplaceront __________ quelques semaines. Pendant le tournage, elle essaie __________ être naturelle, mais que faire quand vos chaussures vous font mal ! Son partenaire lui interdit __________ le toucher et il faut changer __________ acteur. Mais le metteur en scène a fini __________ terminer son film.

10 | **Qu'est-ce que le jeune homme aurait pu faire d'autre ?**

Exemple : Il faisait du judo, mais il aurait pu faire du tennis.

Pensez à la natation, au basket-ball, à l'athlétisme, à la course à pied, au cyclisme, au ski, etc.

11 Qu'est-ce qu'ils ont dit ?

Exemple : Martine a dit au gardien qu'elle voulait faire un reportage.

a. Le metteur en scène a dit à la jeune fille qu'elle __________ convoquée.

b. Le garçon a dit qu'il __________ monter à cheval.

c. Le metteur en scène voulait que Martine __________ dans son film.

d. Laurent et Bernard n'ont pas été très heureux que Martine __________ engagée.

e. Le pompier a dit qu'il __________ de fumer.

f. Son partenaire a dit que Martine __________ le tuer.

g. Le metteur en scène a dit qu'il __________ de travailler avec des fous.

h. Martine n'avait jamais dit que __________ un chef-d'œuvre !

12 Qu'est-ce que Laurent et Bernard ne savaient pas ?

Exemple : rencontrer un metteur en scène
→ Ils ne savaient pas que Martine rencontrerait un metteur en scène.

a. faire un essai
b. être engagée
c. vouloir être actrice
d. avoir un deuxième rôle
e. jouer la comédie
f. leur laisser le travail à faire
g. donner une gifle à son partenaire
h. regretter d'avoir joué dans ce film

13 Qu'est-ce que Martine ne voudra plus ?

Exemple : la prendre pour une comédienne.
→ Elle ne voudra plus qu'on la prenne pour une comédienne.

a. faire faire un essai
b. l'engager pour tourner un film
c. faire monter sur un cube
d. dire d'enlever ses chaussures
e. demander d'être naturelle
f. faire jouer dans un mauvais film
g. montrer ce qu'elle a fait
h. la tourner en ridicule

4 **Qu'est-ce qu'on a voulu faire faire à Martine ?**

Exemple : faire un essai → On a voulu lui faire faire un essai.
poser de face → On a voulu la faire poser de face.

a. tourner un film
b. épeler son nom
c. se mettre de profil
d. enlever ses chaussures
e. se baisser
f. paraître naturelle
g. donner une gifle à son partenaire
h. jouer des scènes ridicules

Et quoi encore ?

5 **Pour quels rôles pourrait-on les prendre ?**

Exemple : On pourrait prendre Martine pour jouer le rôle d'une journaliste.

a. Laurent
b. Bernard
c. M. Duray
d. le metteur en scène
e. l'assistant
f. Xavier

6 **Quels rôles ne leur conviendraient pas ?**

7 **Qu'est-ce qu'ils font ?**

Faites correspondre ce qu'ils disent et ce qu'ils font.

a. « On pourrait la prendre pour la scène sur la plage...
b. « Je ne vois pas très bien dans quelle scène vous employer ! »
c. « Par moments, tu n'es vraiment pas drôle. »
d. « Il m'arrive une histoire incroyable ! »
e. « C'est tout l'effet que ça vous fait ? »
f. « C'est ça. Oh ! vous êtes des amours. »
g. ... « Si c'est comme ça, je m'en vais ! »
h. « Ce n'est pas un chef-d'œuvre ! »

1. Martine exprime sa déception.
2. Martine remercie Laurent et Bernard.
3. Le metteur en scène est furieux.
4. Laurent critique.
5. Le metteur en scène réfléchit et rejette l'idée.
6. Bernard désapprouve Laurent.
7. L'assistant fait une suggestion.
8. Martine exprime sa joie.

18 Trouvez la question.

a. ______________________________ J'aimerais faire du cinéma.

b. ______________________________ On pourrait lui donner un petit rôle.

c. ______________________________ Dans quelques jours.

d. ______________________________ Avec un D.

e. ______________________________ Parce qu'elle attend un enfant.

f. ______________________________ Eh oui, on ne peut pas faire autremen

g. ______________________________ D'être naturelle.

h. ______________________________ Non, je ne peux pas cadrer.

19 Écoutez et complétez les phrases.

Qui __________ que Martine __________ faire du cinéma ?

Laurent et Bernard __________ qu'elle n'en fasse pas, mais Martine était trop heureus

que le metteur en scène la __________ pour un second rôle.

Son assistant, lui __________ qu'elle ne __________ pas jouer la comédie.

Martine ne __________ pas que le métier d'acteur était si dur. Le metteur en scèr

__________ que tout le monde __________ ses ordres. Quelle épreuve ! Et quelle déce

tion quand Martine __________ que le résultat était si médiocre !

20 Éliminez les expressions qui ne conviennent pas...

a. Pour exprimer l'irritation :
- ☐ Qu'est-ce que vous faites là-haut ?
- ☐ J'en ai assez !
- ☐ Bon... sois naturelle..
- ☐ Par moments, tu n'es vraiment pas drôle.
- ☐ Tu n'as qu'à ne pas respirer...

b. Pour exprimer la joie, l'enthousiasme :
- ☐ Comme ça, Martine, vous êtes magnifique !
- ☐ Là... c'est bien, mais pas assez fort !
- ☐ Super !
- ☐ Ce n'est pas un chef-d'œuvre !
- ☐ Oh, mes amis, il m'arrive une histoire incroyable !

21 **Reprenez les phrases de l'exercice 20 et dites ce qu'elles pourraient signifier dans des situations différentes. Imaginez les situations et expliquez.**

C Et maintenant, communiquez

22 **Dites ce que vous pensez !**

a. Vous venez de recevoir un cadeau d'anniversaire. Ce n'est pas ce que vous vouliez. Exprimez votre déception de plusieurs manières.
b. Ce cadeau est exactement ce que vous vouliez. Exprimez votre satisfaction de plusieurs manières.
c. Vous venez de garer votre voiture. Un autre automobiliste vient se garer à côté de vous et vous bloque la sortie.
Trouvez cinq manières de plus en plus nettes de lui demander de changer de place. Vous commencez par une phrase très polie comme : « Pourriez-vous vous garer un peu plus loin ? – Je ne pourrai pas partir... ? »

23 **Qu'est-ce qu'ils veulent dire ?**

Trouvez une expression de sens équivalent.
Exemple : Le gardien : « Vous ne pouvez pas vous tromper... = Vous allez trouver facilement. »

a. « C'est tout l'effet que ça vous fait ! »
b. « Vous êtes des amours. »
c. « Facile à dire... »
d. « Eh ! Mais ça ne va pas, ça ! »
e. « Oh ! Je n'en peux plus. »
f. « Je n'ai jamais dit que c'était un chef-d'œuvre ! »

24 **Que vous a appris cet épisode...**

a. ... sur le monde du cinéma ?
b. ... sur Martine ?

25 **L'histoire aurait pu se passer autrement.**

Par exemple : Martine, épuisée et malheureuse, ne termine pas le film.
Le film est bon et on offre de nouveaux contrats à Martine.

26 **Martine écrit à une amie pour lui raconter son histoire.**

27 **Jeu de rôle.**
Vous êtes metteur en scène. Vous interviewez un acteur pour lui offrir un rôle dans votre prochain film...

28 **Écoutez le texte sur Paris, le paradis des cinéphiles, prenez des notes et répondez aux questions.**

a. Quand a eu lieu la première projection publique de film ?
b. Qui l'avait organisée ?
c. Pourquoi est-ce qu'il y a moins de monde dans les cinémas depuis une vingtaine d'années
d. Combien y a-t-il de salles de cinéma à Paris ?
e. Dans quels quartiers faut-il aller pour rencontrer les gens du cinéma ?
f. Qu'est-ce qu'une cinémathèque ?
g. Qu'est-ce qu'un cinéphile ?

29 **Que savez-vous de la production de films dans votre pays ?**

D *Étudiez les pages « Reportage »*

30 **Écoutez l'interview de Pierre Sisser, le réalisateur d'*Avec Plaisir*, et dites ce que vous avez appris sur le métier de réalisateur.**

31 **Étudiez le texte « Le Festival a fêté ses quarante ans ! » (livre p. 133).**

a. Établissez la fiche technique du Festival.

année de création	
lieu	
moment de l'année	
participants	
activités	
objet	

b. « Les deux faces du décor » : que comprenez-vous ?
c. Qu'est-ce qui a disparu avec le départ des starlettes ?

Corrigé des exercices

Emission 14

1 a. souriant ; b. sont contents ; c. se sent triste ; d. acceptent immédiatement ; e. sont très surpris.
2 a. La mer, le soleil, la plage, c'est *Radio-Rivage.*
b. *Nice-Matin.*
c. deux cocas, deux pastis et un jus d'orange.
4 a. 2 ; b. 2 ; c. 1 ; d. 1 ; e. 2 ; f. 1.
6 a. patronne, femme de tête, autoritaire, jalouse.
b. travailleur, sérieux.
c. casse-cou, coureur de filles, un peu fou.
7 a. forêt ; b. jaloux ; c. planter ; d. louer des bureaux.
8 a. 5 ; b. 4 ; c. 6 ; d. 1 ; e. 3 ; f. 2.
a. 4 ; b. 5 ; c. 2 ; d. 3 ; e. 6 ; f. 1.
9 b. rédacteur, rédactrice ; c. direction, directeur, directrice ; d. organisation, organisateur, organisatrice ; e. collaboration, collaborateur, collaboratrice ; f. protection, protecteur, protectrice.
10 b. habitait (V) ; c. avait (F) ; d. sortait (V) ; e. voyaient (V) ; f. faisaient (V) ; g. apprenait (V) ; h. aimait (V).
11 a. ont cherché ; b. se sont installés ; c. ont fait ; d. se sont engagés ; e. s'est associé ; f. ont organisé.
12 1. a commencé ; 2. étais ; 3. a vu ; 4. se sont mis ; 5. a essayé ; 6. sont venus ; 7. avait ; 8. a... pu ; 9. a brûlé.
13 a. Quand ils sont allés voir Xavier ; b. Quand ils ont aidé Xavier ; c. Quand il a vu ; d. Quand elles ont regardé le journal ; e. Quand il a commandé les consommations ; f. Quand il s'est intéressé à *Radio-Rivage ;* g. Quand il a fait sa déclaration...
14 a. à ; b. sur ; c. sur ; d. à ; e. de ; f. à ; g. d'.
15 a. 7 ; b. 6 ; c. 5 ; d. 3 ; e. 2 ; f. 4 ; g. 1.
16 Réponses possibles : a. Vous venez pourquoi ? b. C'est combien ? c. Qu'est-ce que tu vas faire ? d. Qu'est-ce qu'il a ? e. Qu'est-ce que ça lui fait ? f. C'est à cause de qui ? g. Qu'est-ce qu'il faut faire ?
17 1. 3 ; 2. 4
18 a. écoutant ; b. associant ; c. aidant ; d. prévenant ; e. venant.
21 fort comme un bœuf ; malin comme un singe ; têtu comme un âne ; gai comme un pinson ; muet comme une carpe ; bête comme une oie ; lent comme un escargot ; doux comme un mouton ; rusé comme un renard ; bavard comme une pie.
27 a. 75-80 ; b. 6 mai 1983 ; c. plusieurs centaines ; d. deux groupes ; e. de se professionnaliser.
33 a. Napoléon ; b. au préfet du Var ; c. des incendies de forêts ; d. dans le Var ; e. afin de trouver et de punir les responsables de ces incendies.
34 a. 8 ; b. 7 ; c. 5 ; d. 6 ; e. 3 ; f. 4 ; g. 1 ; h. 2.
35 a. une constatation ; b. un ordre ; c. une menace.

Emission 15

1 a. gêné ; b. refuse tout net ; c. se met en colère ; d. dit qu'il n'est pas au courant ; e. se met à rire ; f. lance le flacon contre le mur.
2 a. 1 ; b. 2 ; c. a ; d. 2 ; e. 2 ; f. 2.
4 a. l'appartement est en désordre ; b. des roses de mai ; c. avec un petit bâton.
6 a. scène 4 – Laurent – Il est fâché contre Bernard.
b. scène 6 – Martine – Elle vient de travailler plusieurs heures à l'antenne.
c. scène 6 – Laurent – C'est son jour de repos et il ne veut pas entendre parler de travail.
d. scène 6 – Bernard – Il est en colère contre Laurent qui ne veut pas dire la vérité à Martine.
e. scène 12 – M. Langlois – Il reconnaît les essences de parfum à l'odeur.
f. scène 13 – Martine – Elle fait une scène à Bernard.
7 a. 7 ; b. 5 ; c. 6 ; d. 8 ; e. 2 : f. 1 ; g. 4 ; h. 3.
8 a. se débrouiller ; b. ménage ; c. conduire ; d. en direct ; e. flacon.
9 1. à ; 2. de ; 3. à ; 4. à ; 5. de ; 6. par ; 7. à ; 8. de ; 9. de ; 10. à.
10 a. exactement ; b. personnellement ; c. doucement ; d. absolument ; e. lentement ; f. rapidement ; g. simplement.
11 a. Quel flacon ? b. Quelles fleurs ? c. Quel extrait ? d. Quel texte ? ou Quel reportage ? e. Quel parfum ? f. quel atomiseur ?
13 a. Lequel ? b. Laquelle ? c. Lequel ? d. Lesquels ? e. Lesquelles ? f. Lesquels ? g. Lesquelles ? h. Lesquelles ?
15 a. 7 ; b. 5 ; c. 8 ; d. 1 ; e. 2 ; f. 3 ; g. 4 ; h. 6.
16 Réponses possibles : a. Quand arrive-t-il ? b. Lequel ? c. Tu viens avec moi ? d. Quelle parfumerie ? ou Laquelle ? e. Tu vas bien ? f. Vous ne m'oublierez pas cette fois ?
17 a. Le reportage sur quoi ? Quel reportage ? b. Il est allé à Grasse pourquoi ? Pourquoi est-il allé à Grasse ? c. Il faut combien de fleurs ? Combien faut-il de fleurs ? d. Nous prenons rendez-vous pour quand ? Pour quand prenons-nous rendez-vous ? e. Il reconnaît les essences comment ? Comment reconnaît-il les essences ? f. Les parfums s'améliorent comment ? Comment s'améliorent les parfums ?

18 a. celle-là ; b. celui-là ; c. ceux-là ; d. celles-là ; e. celle-là ; f. celui-là ; g. celui-là ; h. celui-là.

20 a. Je veux un article plus simple ; b. Je veux un reportage plus long ; c. ... moins d'informations régionales ; d. ... moins de reportages ; e. ... un texte moins difficile ; f. ... un travail moins fatigant ; g. ... plus de flacons ; h. ... un parfum moins fort.

22 1. Lequel ? 2. celui que ; 3. celui ; 4. celui-là ; 5. celui ; 6. laquelle ; 7. celle que ; 8. irai ; 9. celle qui ; 10. neuf.

28 a. se parfumaient déjà ; b. de fabrication et d'exportation des parfums ; c. rapportaient des essences de parfum de Jérusalem ; d. la parfumerie était une grande industrie en Europe ; e. avaient le monopole de la fabrication des parfums ; f. concurrents.

Emission 16

1 a. répond aimablement ; b. essaient de cacher leur gêne ; c. refuse de répondre ; d. n'en croit pas ses yeux ; e. se moque d'eux ; f. a l'air offensé.

2 a. 1 ; b. 2 ; c. 2 ; d. 1 ; e. 2 ; f. 2.

4 a. Laurent ; b. Martine ; c. Laurent.

6 a. scène 1 – Martine – Il s'agit d'un reportage qu'ils projettent de faire sur la peinture.
b. scène 2 – le premier peintre – Il désigne une jeune fille qui peint elle aussi.
c. scène 4 – le jeune homme – Il vient de refuser sèchement de répondre à leurs questions.
d. scène 6 – Bernard – Laurent et Bernard veulent s'approcher de la villa en cachette.
e. scène 10 – le directeur de la galerie – Martine vient d'intervenir dans la discussion entre le directeur de la galerie et une cliente.
f. scène 11 – le faussaire – Il croit que les journalistes sont de la police.

7 a. 6 ; b. 7 ; c. 5 ; d. 1 ; e. 3 ; f. 4 ; g. 2.

8 a. reproduire ; b. faussaire ; c. dénoncer ; d. soupçon ; e. trafic.

9 1. de ; 2. de ; 3. au ; 4. de ; 5. de ; 6. en ; 7. à ; 8. de ; 9. par ; 10. de.

10 a. J'en offre... ; b. J'en vis... ; c. J'en reviens... ; d. J'en sors... ; e. Je m'en sers... ; f. Je voudrais bien en garder un.

12 a. le faussaire ; b. de notre projet d'enquête ; c. le faussaire ; d. du tableau ; e. du directeur de la galerie et du faussaire ; f. un tableau.

13 a. Ce musée, vous le connaissez ? b. Cette galerie, vous la connaissez ? c. Ces peintres vous les connaissez ? d. Ces toiles, vous les connaissez ? e. Ce tableau, vous le connaissez ? f. Ces journalistes, vous les connaissez ?

15 a. 7 ; b. 6 ; c. 8 ; d. 1 ; e. 3 ; f. 2 ; g. 4 ; h. 5.

16 Réponses possibles : a. Qu'est-ce que vous avez fait ? b. Qu'est-ce que vous faisiez ? c. Quel genre de vie est-ce qu'il menait ? d. A quelle heure est-ce qu'il est sorti ? e. Qu'est-ce qu'il a fait en arrivant chez lui ? f. Combien est-ce que vous en donnez ?

17 a. B ; b. P ; c. B ; d. B ; e. P ; f. B ; g. P ; h. B.

18 a. Ils n'achètent que si... ; b. Il ne répond que si... ; c. Elle ne peint que pour son plaisir ; d. Il ne sort que... ; e. Il ne téléphone que ; f. Ils ne vont à l'exposition que... ; g. Ils ne vont le dénoncer que s'il n'arrête pas son trafic.

19 a. Dis-moi tout de suite... ; b. C'est absolument impossible !

28 a. Antibes ; b. un château ancien ; c. des dessins, des céramiques et des peintures ; d. les courses de taureaux, les scènes mythologiques et les représentations d'animaux ; e. présentées au premier étage ; f. des pêcheurs, des poissons, des faunes, des satyres ; g. en quelques mois à Antibes.

Emission 17

1 a. est tout de suite d'accord ; b. se met à rire ; c. triomphe ; d. est furieux ; e. a terriblement peur ; f. se moque gentiment de lui.

2 a. 2 ; b. 1 ; c. 1 ; d. 1 ; e. 2 ; f. 2 ; g. 2.

3 a. non ; b. non ; c. c'étaient les bleus ; d. la statue du Masque de Fer.

5 a. scène 1 – Xavier – Les autres prennent une journée de vacances.
b. scène 2 – M. Duray – Il n'a pas prévenu de son arrivée.
c. scène 3 – Laurent – Ils discutent pour savoir où ils vont aller.
d. scène 4 – Laurent – Laurent et Bernard viennent de se tromper.
e. scène 8 – M. Duray – Xavier vient de lui dire que ses collaborateurs sont partis.
f. scène 13 – Martine – Une dame a le mal de mer et Laurent ne se sent pas bien non plus.
g. scène 16 – Bernard – Martine croit avoir vu un fantôme.
h. scène 16 – M. Duray – Il fait des reproches à ses collaborateurs.

7 a. 6 ; b. 5 ; c. 8 ; d. 7 ; e. 1 ; f. 4 ; g. 3 ; h. 2.

8 a. tour ; b. fantôme ; c. suivre ; d. journée ; e. Ça suffit ; f. tant pis ; g. Je suis contre ; h. toutes les heures.

10 a. Ils vont peut-être s'offrir... ; b. Ils vont sans doute s'offrir... ; c. Ils vont probablement s'offrir... ; Je crois qu'ils vont s'offrir... etc.

1 a. 5 ; b. 4 ; c. 6 ; d. 3 ; e. 1 ; f. 2.
2 b. ; d. ; a. ; c. ; e.
3 a. Si il y a quelque chose d'intéressant à faire, etc.
4 a. Ce n'est vraiment pas un endroit pour se promener, etc.
5 a. Le train va partir dans une heure.
b. Le bus est parti il y a dix minutes.
c. L'avion est parti il y a un quart d'heure.
d. Le métro va partir dans trois minutes.
6 a. tous les jours ; b. tous les deux mois ; c. toutes les deux semaines (ou deux fois par mois) ; d. tous les deux jours ; e. tous les mois ; f. tous les ans.
7 Il y a un an que je n'y suis pas allé. Je n'y suis pas allé depuis un an / Il y a six mois qu'elle ne lui a pas écrit. Ça fait six mois qu'elle ne lui a pas écrit / Ça fait une heure qu'il mange. Il mange depuis une heure.
9 a. 5 ; b. 6 ; c. 4 ; d. 3 ; e. 1 ; f. 2.
0 Réponses possibles : a. Qu'est-ce que vous allez faire ? b. Saint-Tropez, ça ne vous dirait rien ? c. Pardon, vous n'êtes pas Allemand ? d. Depuis quand existe cette forteresse ? e. Qui était le Masque de Fer ? f. Vous croyez que c'est Duray ?
1 a. Je voudrais seulement marcher un peu. Marcher un peu... c'est une bonne idée ; b. Pourquoi pas ? C'est pas mal comme idée.
2 1. s'ils ; 2. serait ; 3. prennent ; 4. veut ; 5. part ; 6. faire peur ; 7. pourraient-ils ; 8. certains ; 9. laissent ; 10. certainement.
8 a. cinq semaines ; b. en deux fois ; c. 55 % ; d. les plus nombreux ; e. un Français sur quatre ; f. restent en France ; g. qui gagnent le plus d'argent.

Emission 18

1 a. n'est pas content ; b. se moque ouvertement de Laurent ; c. est gêné ; d. se moque gentiment de lui ; e. essaie de cacher sa jalousie ; f. est inquiet ; g. est effrayé.
5 a. 1 ; b. 2 ; c. 2 ; d. 1 ; f. 2 ; g. 2.
6 a. 7 ; b. 5 ; c. 8 ; d. 6 ; e. 2 ; f. 3 ; g. 1 ; h. 4.
7 a. découvrir ; b. emploi ; c. pastis ; d. sculpter ; e. courant.
8 a. une grande ferme provençale ; b. la vraie vie rurale ; c. un vieil homme gentil ; d. un petit village pittoresque ; e. une vieille bergerie blanche ; f. des vacances longues et heureuses ; g. de mauvaises nouvelles incroyables.
2 a. 8 ; b. 6 ; c. 1 ; d. 6 ; e. 2 ; f. 3 ; g. 1 ; h. 4.
3 Réponses possibles : a. Qu'est-ce que tu lis ? b. Qu'est-ce qu'il te faut ? c. Pourquoi est-ce que vous voulez travailler à la campagne ? d. A quoi ça sert ? e. Qu'est-ce qu'on va faire ? f. A quelle heure est-ce qu'on commence ? g. Avec qui est-ce que tu parlais ? h. Pourquoi est-ce que tu fais toutes ces erreurs ?
5 a. la 3ᵉ et la 5ᵉ phrases ; b. la 2ᵉ et la 5ᵉ phrases
6 a. Si, il y va ; b. Si, elle le sait ; c. Si, il est dur ; d. Si, il sait y jouer ; e. Si, il l'est ; f. Si, elle l'est un peu.
7 Réponses possibles : a. Ils sont si pittoresques ! b. C'est si agréable ! c. Je les trouve si intéressants ! d. C'est si dur ! e. Il fait si chaud ! f. C'est si difficile ! g. C'est si cher ! h. Il est si maladroit !
8 1. les ; 2. faites ; 3. lui ; 4. l'a ; 5. plu ; 6. difficiles ; 7. s'en ; 8. venue ; 9. contente ; 10. si.
3 a. dans les villes – 3 sur 4 ; b. le cinquième de la population française ; c. 9 milions ; d. 1 – Ils peuvent y faire des études ; 2 – Ils peuvent y trouver plus facilement un emploi ; 3 – La vie est plus agréable pour eux. e. moins de gens vont vers les villes ; f. 1 – la crise économique ; 2 – le vieillissement de la population.

Emission 19

1 a. fait semblant d'être en colère ; b. se moquent de lui ; c. lui donne un bon conseil ; d. refuse énergiquement ; e. exprime son admiration ; f. a peur.
2 a. 2 ; b. 2 ; c. 2 ; d. 2 ; e. 2.
6 a. scène 3 – Martine – Personne n'attrape de poissons.
b. scène 3 – Bernard – Bernard est tombé à l'eau et les autres rient.
c. scène 6 – M. Antoine – Il donne un conseil à Laurent qui a le mal de mer.
d. scène 7 – M. Antoine – Il leur suggère un moyen de trouver des amphores.
e. scène 10 – Laurent – Il ne se sent pas encore très bien et refuse de manger du poisson.
f. scène 10 – Martine – Bernard se moque de Laurent et Martine les ramène au problème des amphores.
g. scène 12 – M. Orena – Martine lui suggère de déclarer ses amphores.
7 a. 4 ; b. 5 ; c. 7 ; d. 8 ; e. 1 ; f. 3 ; g. 2 ; h. 6.
8 a. patron ; b. friture ; c. pêcher ; d. équipement ; e. transporter.
9 a. je vous le dirai ; b. je vous en apporterai ; c. je les leur donnerai ; d. j'irai ; e. je leur en achèterai ; f. je m'en occuperai ; g. je vous en vendrai ; g. je la leur montrerai.
0 a. Oui, donnez-m'en ; b. Oui, donnez-m'en une ; c. Oui, apportez-m'en ; d. Oui, donnez-m'en ; e. Oui, montrez-m'en ; f. Oui, envoyez-m'en quelques bouteilles ; g. Si, donnez-m'en ; h. Oui, donnez-m'en (six).

11 a. Ne le lui vends pas ; b. Ne m'en donne pas ; c. Ne leur en donnez pas ; d. Donne-m'en un morceau ; e. Ne leur en parle pas ; f. Ramène-le-lui.

12 a. Donnez-les-moi avant jeudi. Ne me les envoyez pas plus tard. b. Apportez-m'en avant midi. Ne m'en apportez pas plus tard. c. Ecrivez-moi avant la fin de la semaine. Ne m'écrivez pas plus tard. d. Répondez-moi aujourd'hui. Ne me répondez pas plus tard. e. Payez-moi avant la fin du mois. Ne me payez pas plus tard. f. Fixez-moi la date avant samedi. Ne me la fixez pas plus tard.

14 a. le bateau ; b. du poisson ; c. des gens ; d. des amphores ; e. le flash ; f. mon histoire d'amphores ; g. votre problème ; h. ses amphores.

15 a. 6 ; b. 4 ; c. 7 ; d. 1 ; e. 8 ; f. 2 ; g. 5 ; h. 3.

16 a. Quel est le prix pour une journée ? b. Quand faut-il vous le ramener ? c. Vous avez pris quelque chose ? d. Vous allez souvent à la pêche ? e. Qu'est-ce qu'il faut faire quand on trouve des amphores ? f. Où est-ce qu'on peut voir ces pièces rares ?

17 a. les 3e et 5e phrases ; b. la 2e phrase.

18 a. C ; b. S ; c. P ; d. C ; e. S ; f. P ; g. C ; h. S.

19 1. voulez ; 2. ferait ; 3. seriez ; 4. pourriez ; 5. prendrai ; 6. vous en ; 7. serions ; 8. toucherais ; 9. pourrait ; 10. le-moi.

21 a. le regret ; b. l'irritation ; c. l'admiration ; d. la surprise ; e. le découragement ; f. le souhait, le désir ; g. le découragement ; h. la surprise.

26 a. 1 000 kilomètres ; b. un hexagone ; c. six ; d. trois côtés ; e. la mer Méditerranée ; plus grand port français ; f. la Manche ; deuxième port français ; g. l'océan Atlantique ; troisième port français ; h. la France de l'Angleterre.

Emission 20

1 a. reste sans voix ; b. se moque de Laurent ; c. fait d'abord semblant de refuser ; d. n'en croit pas ses yeux ; e. soupçonne immédiatement Bernard ; f. fait une réflexion désagréable.

2 a. 2 ; b. 2 ; c. 2 ; d. 1 ; f. 1 ; g. 1.

4 a. Oui, il y en a ; b. Oui, il en porte ; c. Elle le sert dans une cruche.

6 a. scène 2 – Le garçon – Il est étonné de tout ce que commande Martine.
b. scène 4 – Bernard – Il aborde Samantha.
c. scène 4 – Bernard – Il goûte le canard dans l'assiette de Samantha.
d. scène 4 – Bernard – Il se résigne à payer le montant élevé de l'addition.
e. scène 5 – Martine – Laurent lui montre ce qu'il a rapporté du restaurant.
f. scène 5 – Martine – Bernard pose une question indiscrète à Martine.
g. scène 6 – Martine – Elle est jalouse d'avance et n'a pas envie de voir Samantha.
h. scène 8 – Bernard – Martine vient de se moquer de Samantha.

7 a. 5 ; b. 7 ; c. 6 ; d. 8 ; e. 1 ; f. 3 ; g. 2 ; h. 4.

8 a. gastronomie ; b. résultat ; c. tomate ; d. salade ; e. enquêter ; f. pas fameux.

9 a. à ; b. de ; c. de ; d. à ou de ; e. de ; f. — ; g. pour ; h. par.

11 a. Personne ne me l'avait donnée ; b. On ne m'avait rien indiqué ; c. Personne ne lui avait dit de l'inviter d. Il n'avait rien à me dire ; e. Il n'avait dû goûter à rien ; f. Personne ne la lui avait présentée ; g. Il n'y a rien de meilleur ; h. Personne ne la lui avait donnée.

14 a. plus chaude ; b. plus cuit ; c. plus légère ; d. plus crémeux ; e. plus salée ; f. plus frais ; g. plus sucré ; h. plus fort.

15 a. le plus moderne/le plus confortable ; b. le plus connu/le meilleur ; c. la plus grande/la plus agréable d. la plus courte/la meilleure ; e. la plus chère/la meilleure ; f. le plus rapide/le plus direct ; g. la plus longue/la plus complète ; h. la plus chère/la plus belle.

16 a. Bernard ou Laurent ; b. Martine et Samantha ; c. Martine ou Samantha ; d. tous les quatre ou les deux garçons seulement.

18 a. 7 ; b. 5 ; c. 6 ; d. 8 ; e. 2 ; f. 3 ; g. 1 ; h. 4.

19 a. Qu'est-ce que vous voulez, une salade de tomates ou du foie gras ? b. Vous voulez autre chose ? c. Quel fromage ? d. Ça fait combien ? Mille cent francs ! e. C'était bon ? f. Tu peux venir me chercher à huit heures ?

20 1. voulait ; 2. Personne ; 3. rien ; 4. avaient ; 5. tous les ; 6. aucun ; 7. observés ; 8. pas de ; 9. trouvé ; 10. de meilleur.

21 a. la 3e phrase ; b. la 3e phrase.

30 a. chez les petits commerçants du quartier ; en famille ; beaucoup de pain ; b. ce qu'ils mangent ; fruits, légumes verts, lait, graisses végétales ; d'aliments trop riches ; en famille ; moins ; de manger trop ; c. Ils vont plus souvent au restaurant. – Ils cuisinent davantage de petits plats.

Emission 21

1 a. fait immédiatement des objections ; b. a l'air offensé ; c. proteste ; d. a peur ; e. restent parfaitement calmes ; f. se précipite sur le *talkie-walkie ;* g. se font des reproches.

2 a. avec une pièce de monnaie ; b. Martine ; c. en faisant du stop.

4 a. 2 ; b. 1 ; c. 2 ; d. 2 ; e. 2 ; f. 2.
6 a. scène 2 – M. Duray – Il est effrayé par la proposition de Laurent.
b. scène 4 – Martine – Ils décident qui va monter dans le coffre.
c. scène 15 – Laurent – Laurent et Martine attendent les voleurs.
d. scène 6 – un passant – Il a peur en entendant la voix de Bernard.
e. scène 12 – le commissaire – Il a entendu l'histoire et ne la croit pas.
7 a. 3 ; b. 5 ; c. 6 ; d. 7 ; e. 1 ; f. 8 ; g. 4 ; h. 2.
8 a. lampe ; b. coffre ; c. tirer au sort ; d. mazout.
9 a. des ; b. à ; c. de ; d. à ; e. de ; f. à ; g. d' ; h. d' ; i. par ; j. pour.
10 a. réussies ; b. luxueuse ; c. bonne ; d. pas mauvais ; e. gentille ; f. incroyable ; g. nouvelle ; h. dure.
11 a. des sandwichs jambon-beurre ; b. d'être ici avec toi ; c. notre opération/le vol de la voiture ; d. le coffre ; e. nous ; f. les voleurs ; g. nous ; h. téléphoner à Duray.
12 a. Ir ; b. Imp ; c. Imp ; d. In ; e. Ir ; f. Imp ; g. In ; h. Ir.
13 a. nous ; b. vous ; c. les gens ; d. vous ; e. quelqu'un ; f. quelqu'un ; g. les gens.
15 a. acceptera leur proposition ; b. prêtera sa voiture ; c. prendront soin de sa voiture ; d. resteront en contact avec lui ; e. les aidera ; f. le fera sortir du coffre ; g. diront la vérité ; h. arrêtera les voleurs.
17 a. Oui, laisse-le la louer ; b. Laisse-la la prendre ; Laisse-les s'en occuper ; d. Laissez-le se débrouiller seul.
18 a. 8 ; b. 6 ; c. 4 ; d. 1 ; e. 7 ; f. 5 ; g. 2 ; h. 3.
19 Réponses possibles : a. Où sont-elles envoyées ? b. Xavier, vous pouvez nous trouver des *talkies-walkies* ? c. J'espère que vous en prendrez soin ? d. Tu as vu quelqu'un ? e. Tu as les clefs ? f. Avec quoi voulez-vous ouvrir ? g. Pourquoi est-ce que vous les laissez faire ? h. Pourquoi est-ce que tu crois être sur un bateau ?
20 a. la 4e phrase ; b. la 3e et la 5e phrases
22 a. pour parler de ses projets ; b. pour enquêter sur les voitures volées ; c. pour savoir qui va monter dans le coffre ; d. pour suivre les voleurs ; e. parce que rien n'est clair ; f. parce que ça remue et ça sent le mazout ; g. pour leur montrer qu'il ne croit pas à leur histoire et se moquer d'eux ; h. parce qu'ils n'ont pas eu beaucoup de chance.
23 Réponses possibles : a. je suis désolé, mais il est en panne ; b. je voulais justement t'emprunter de l'argent ; c. mardi après-midi je ne peux pas ; d. elle est en réparation ; e. samedi, mes parents viennent déjeuner ; f. j'ai rendez-vous chez le dentiste.
30 a. une centaine d'années ; b. la montée des prix ; c. 61 % ; d. le confort ; la beauté de la carrosserie ; les performances ; e. 380 ; f. 20 % ; g. du mode de vie.

Emission 22

1 a. sont mécontents ; b. se moquent d'elle ; c. hésite à cause de son proviseur ; d. est très ému ; e. cède à regret ; f. protestent.
2 a. 1 ; b. 2 ; c. 1 ; d. 1 ; e. 2 : f. 2.
4 a. au baby-foot ; b. Nice ; c. un maillot de l'O.G.C. Nice.
6 a. scène 2 – Le proviseur – Il menace Jean-Pierre de renvoi.
b. scène 3 – M. Duray – Il vient d'obtenir l'autorisation de la Fédération de Football.
c. scène 4 – Martine – Laurent et Bernard croient créer un problème en refusant de faire le reportage du match de football.
d. scène 4 – Laurent – Il ne peut pas croire que Martine puisse faire ce commentaire.
e. scène 8 – Martine – Elle remercie publiquement Jean-Pierre.
f. scène 8 – le capitaine – Il essaie de mettre Jean-Pierre à l'aise.
g. scène 9 – le proviseur – Il est en colère. Jean-Pierre ne travaille pas mieux en classe.
h. scène 10 – Bernard – Il doit faire les devoirs de maths de Jean-Pierre.
7 a. 2 ; b. 8 ; c. 6 ; d. 7 ; e. 1 ; f. 4 ; g. 3 ; h. 5.
8 a. intercepter ; b. mauvais ; c. courir ; d. proposer ; e. maillot ; f. buteur ; g. fêter ; h. rond central.
9 a. par ; b. pour ; c. à ; d. à ; e. pour ; f. – ; g. à ; h. à.
12 a. Si tu as une place... tu feras le reportage... ; b. Si ça t'intéresse, tu accepteras... ; c. Si ton proviseur n'est pas content, il écoutera... ; d. S'ils t'aident, tu les remercieras...
13 a. a été obtenue par M. Duray ; b. ont été faits par Laurent et Bernard ; c. a été gagné par Nice ; d. ont été marqués par Moralès ; e. a été faite par Passi ; f. a été relancé par Amitrano ; g. a été donné par l'arbitre ; h. a été aidée par Jean-Pierre ; i. ont été faits par Laurent et Bernard.
14 a. passé composé ; b. passé composé ; c. passé composé ; d. passif du présent ; e. passif ; f. passé composé ; g. passé composé ; h. passé composé.
15 a. 6 ; b. 8 ; c. 7 ; d. 1 ; e. 2 ; f. 3 ; g. 4 ; h. 5.
16 Réponses possibles : a. Quel est le meilleur joueur ? b. Qu'est-ce que M. Duray a obtenu ? c. C'est toi qui vas faire le reportage ? d. Pourquoi est-ce que tu hésites ? e. Pourquoi êtes-vous venu ? f. Vous pouvez faire ce reportage ? g. Pour quelle matière avez-vous le plus de problèmes ? h. Vous avez dû étudier vos maths ?
17 1. obtenu ; 2. aurait ; 3. sans ; 4. eux ; 5. commentes ; 6. aurait pas ; 7. membre d'honneur ; 8. est venu ; 9. pourra-t-il ; 10. sera-t-elle.
19 a. Si Laurent voulait, il ferait (ou pourrait faire) le reportage. b. s'y intéressait, il aiderait... ; c. ne faisait que du football, il serait renvoyé... ; d. était..., il renverrait ... ; e. jouait mieux, elle gagnerait. ; f. gagnait..., elle serait... ; g. obtenaient le match nul, ils seraient satisfaits.

20 Il n'aurait pas dû le refuser ; b. Il n'aurait pas dû se moquer d'elle ; c. Il n'aurait pas dû se mettre en colère ; d. Elle n'aurait pas dû essayer de l'excuser ; e. Il n'aurait pas dû l'écouter ; f. Il n'aurait pas dû se laisser convaincre ; g. Elle n'aurait pas dû le promettre ; h. Ils n'auraient pas dû accepter de faire ses devoirs.

21 a. la 2e phrase ; b. la 3e et la 5e phrases.

27 a. le football ; b. 1903 ; c. juillet ; d. trois semaines ; e. 4 000 kilomètres ; f. 200 ; g. Paris, sur les Champs-ELysées ; h. 1983 ; i. court ; j. 2 000.

Emission 23

1 a. sûr de lui ; b. fait semblant d'être malade ; c. semble gêné et s'excuse ; d. plaisante avec lui ; e. cherche à se justifier.

2 a. 1 ; b. 2 ; c. 2 ; d. 2 ; e. 2.

4 a. Laurent sourit. Il est content de rester à Nice.
b. Très aimablement. Il leur offre tout de suite à boire.
c. Il se couche dans un hamac.

7 a. 5 ; b. 7 ; c. 8 ; d. 6 ; e. 1 ; f. 3 ; g. 2 ; h. 4.

8 a. flamant rose ; b. avoir de l'argent ; c. désagréable ; d. poignet ; e. se débrouiller.

9 a. d' ; b. de ; c. pour ; d. à ; e. de – à ; f. à – à ; g. pour ; h. de.

10 a. il a dû téléphoner ; b. il a dû partir... ; c. il a dû prévenir... ; d. il a dû rester seul ; e. il a dû attraper la grippe ; f. il a dû prendre froid ; g. il devait faire froid.

11 Réponses possibles : a. Ils doivent avoir faim ; b. Ils devaient avoir froid ; c. Il doit travailler ; d. Il doit savoir monter à cheval ; e. Il doit savoir prendre des photos ; f. Il doit avoir une entorse.

12 Réponses possibles : a. C'est parce qu'il ne savait pas monter à cheval ; b. Il a dû tomber sur le poignet ; c. C'est parce qu'il a une entorse ; d. C'est parce qu'il voulait rester à Nice ; e. Il a dû s'amuser ; f. C'est parce qu'il n'était pas vraiment malade ; g. C'est parce qu'il voulait se reposer ; h. Il a dû faire une bonne sieste dans son hamac.

14 1. fasse ; 2. soient ; 3. soit ; 4. aille ; 5. téléphones ; 6. prennes ; 7. fasse ; 8. serait ; 9 vienne ; 10. fasse.

15 a. viendra ; b. vienne ; c. partira ; d. parte ; e. appelle ; f. appellera ; g. fassent ; h. fera

18 a. 6 ; b. 5 ; c. 7 ; d. 8 ; e. 1 ; f. 2 ; g. 3 ; h. 4.

19 a. Qu'est-ce qu'on pourra faire ? b. Tu es pressé ? c. Qu'est-ce que tu as ? d. Quand as-tu attrapé la grippe ? e. Il ne vient pas ? f. A quelle heure est-ce que nous partons ? g. Pourquoi est-ce que vous êtes tombé ? h. Ça va ?

20 a. la 2e phrase ; b. la 4e phrase.

21 a. Ne sois/soyez pas si pressé ; b. Ne sois/soyez pas si sûr de toi/vous ; c. Ne sois/soyez pas si curieux ; d. Ne sois/soyez pas si lent ; e. Ne sois/soyez pas si gentil ; f. Ne sois pas si bête !

28 a. 1963 ; b. six ; c. des sanctuaires pour les animaux et les plantes ; d. 23 parcs régionaux ; e. du sport, de l'élevage, de l'artisanat ; des études écologiques ; f. d'animaux et de plantes ; g. les foules de visiteurs.

Emission 24

1 a. est heureux ; b. n'est pas très enthousiaste ; c. ne sont pas contents et se plaignent ; d. proteste ; e. a très peur ; f. est très effrayée ; g. est triste !

2 a. à grandir les acteurs ; b. sur la grue, dans le fauteuil de l'opérateur ; c. une grande photo de Martine.

5 a. 2 ; b. 1 ; c. 2 ; d. 1 ; e. 2 ; f. 2 ; g. 2.

7 a. 4 ; b. 7 ; c. 5 ; d. 6 ; e. 1 ; f. 8 ; g. 3 ; h. 2.

8 a. tournage ; b. se tromper ; c. séquence ; d. comédien ; e. approcher.

9 1. pour ; 2. dans ; 3. de ; 4. à ; 5. de ; 6. pendant ; 7. d' ; 8. de ; 9. d' ; 10. par.

11 a. serait ; b. savait ; c. joue ; d. soit ; e. était interdit ; f. voulait ; g. en avait assez ; h. c'était.

12 a. ferait un essai ; b. serait engagée ; c. voudrait ; d. aurait ; e. jouerait ; f. laisserait ; g. donnerait ; h. regretterait.

12 a. qu'on lui fasse faire un essai ; b. serait engagée ; c. voudrait ; d. aurait ; e. jouerait ; f. laisserait ; g. donnerait ; h. regretterait.

13 a. qu'on lui fasse faire un essai ; b. l'engage ; c. la fasse monter ; d. lui dise ; e. la fasse jouer ; g. lui montre ; h. la tourne en ridicule.

14 a. lui faire tourner un film ; b. lui faire épeler son nom ; c. la faire mettre de profil ; d. lui faire enlever ses chaussures ; e. la faire se baisser ; f. la faire paraître naturelle ; g. lui faire donner une gifle ; h. la faire jouer des scènes ridicules.

17 a. 7 ; b. 5 ; c. 6 ; d. 8 ; e. 1 ; f. 2 ; g. 3 ; h. 4.

18 Réponses possibles : a. Qu'est-ce que vous aimeriez faire ? b. Qu'est-ce que tu en penses ? c. Quand est-ce qu'on le saura ? d. Comment épelez-vous votre nom ? e. Pourquoi est-ce qu'elle ne peut pas jouer ? f. Tu vas la faire jouer ? g. Qu'est-ce qu'il lui demande ? h. Tu vois ses pieds ?

19 1. pensait ; 2. allait ; 3. voulaient ; 4. prenne ; 5. pensait ; 6. pourrait ; 7. savait ; 8. voulait ; 9. suivre ; 10. s'est rendu compte.

20 a. la 3e phrase ; b. la 2e et la 4e phrases.
23 Paraphrases possibles :
a. Vous n'avez pas l'air très enthousiastes !
b. C'est vraiment gentil d'accepter.
c. Si vous croyez que c'est facile à faire...
d. Arrêtez ! Qu'est-ce que vous faites ! C'est interdit, ça !
e. J'en ai vraiment assez ! Je ne peux plus continuer.
f. Ce n'est pas bon, c'est vrai...
28 a. Il y a une centaine d'années ; b. les frères Lumière ; c. à cause de la télévision et de la vidéo ; d. plus de 400 salles ; e. les Champs-Elysées, Montparnasse et le Quartier Latin ; f. un endroit où on conserve et où on montre les films produits des origines à nos jours ; g. un amateur, un passionné de cinéma.

Transcription des textes enregistrés

Emission 14

Exercice n° 27 – Les radios libres

Depuis les origines de la radio, et plus encore de la télévision, les gouvernements ont essayé de contrôler ces puissants moyens de communication et de propagande sociale et politique. Mais dans les années 75-80, des radios non autorisées, clandestines, libres, naissent partout dans plusieurs pays européens. Puisqu'il n'est pas possible de les éliminer, on essaie de les réglementer et d'en limiter le nombre.

C'est ainsi que, depuis le 6 mai 1983, il existe en France des radios libres autorisées. Ces radios locales privées sont maintenant plusieurs centaines, 90 dans la seule région parisienne. On peut les classer en deux groupes :
– les radios « ciblées », qui s'adressent à un public particulier, radios politiques, en général dans l'opposition, radios ethniques qui diffusent à l'intention des immigrés, radios destinées à des groupes sociaux déterminés, étudiants, enfants, personnes agées..., radios de quartier.
– les radios « thématiques », radios d'information sur la religion, la médecine, l'écologie, la consommation, le tourisme, ou radios qui n'offrent que le simple plaisir de la musique.

Ces radios, souvent créées par des amateurs avec de petits moyens, sont aujourd'hui obligées, pour continuer d'exister, de se professionnaliser, d'émettre régulièrement avec du matériel de qualité et, surtout, des animateurs professionnels. Tout cela coûte très cher. Combien d'entre elles pourront survivre ?

Emission 15

Exercice n° 28 – Les parfums

L'histoire des parfums est une longue histoire d'amour !
Dans l'Antiquité, il n'y avait pas de beauté sans parfum.
Il y a 3 500 ans, en Égypte et en Crête, les femmes élégantes se parfumaient déjà. A Alexandrie, on préparait des parfums précieux pour les exporter dans toute la Méditerranée.
Les Croisés ont découvert les parfums de l'Orient en allant se battre en Terre sainte. Ils rapportaient à leurs dames les essences de Jérusalem.
La parfumerie était au Moyen Âge une grande industrie en Europe. En France, les maîtres gantiers, qui parfumaient leurs gants de cuir, avaient le monopole de la fabrication des parfums. Au XVIIIe siècle, la ville de Grasse était la grande concurrente de l'Espagne. Le jasmin à grandes fleurs, venu de Chine, faisait la célébrité et la prospérité de la région.
De nos jours, Grasse reste la capitale des parfums avec ses 92 parfumeries.

Emission 16

Exercice n° 28 – Le musée Picasso à Antibes

Si vous venez sur la Côte, ne manquez pas de visiter le musée Picasso. Il est installé dans un très beau château sur une terrasse qui domine la mer. Du jardin du château, la vue sur la baie d'Antibes et la côte est splendide. Mais le plus beau est à l'intérieur ! Ce sont les dessins, les céramiques, et les peintures de Picasso qui y sont exposés.
On y retrouve certains des thèmes favoris du peintre : scènes mythologiques, courses de taureaux, représentations d'animaux... Les tableaux présentés au premier étage sont plus directement inspirés par la nature et la mythologie méditerranéennes. Ils sont pleins de fantaisie, de joie de vivre, de bonheur. On y voit poissons, pêcheurs, bergers, plages sous le soleil, et aussi des faunes, des Satyres, des centaures (mi-hommes, mi-chevaux).
La plupart de ces œuvres ont été réalisées dans ce même château (mis à la disposition de Picasso en 1946) en une seule saison, en quelques mois d'inspiration et de travail intense. On peut mesurer ici la force d'imagination, la puissance créatrice et le génie du plus grand peintre du XXe siècle !

Emission 17

Exercice n° 28 – Les Français en vacances

Tous les Français qui travaillent ont droit, depuis plusieurs années, à cinq semaines de vacances par an. Ils prennent généralement ces vacances en deux fois, ce qui explique les grands départs de juillet et août, et le nombre croissant des amateurs de sports d'hiver !

En été, 55 % des Français partent en vacances, pour 24 jours en moyenne. En hiver, un Français sur quatre part au moins une semaine, en général vers la montagne et la neige.

Ce sont surtout les gens des grandes villes qui partent. La proportion atteint 80 % en région parisienne. Les habitants des campagnes bougent beaucoup moins.

La plupart des estivants restent en France, mais un vacancier sur cinq choisit l'étranger.

Le revenu des familles est le facteur le plus important du départ en vacances. Ce sont les Français qui gagnent le plus d'argent qui partent le plus longtemps : cadres supérieurs, professions libérales, industriels, commerçants...

Il y a malheureusement encore trop de Français qui ne partent pas en vacances.

Emission 18

Exercice n° 23 – Où vivent les Français ?

Les Français vivent en grande majorité dans les villes : 3 Français sur 4. C'est pourquoi les trois-quarts de la population sont concentrés sur 15 % du territoire. Le Grand Paris c'est-à-dire Paris et ses banlieues, compte, à lui seul, près de 9 millions d'habitants, le sixième de la population française.

C'est qu'en France, comme dans beaucoup d'autres pays, les jeunes quittent la campagne pour aller à la ville. Ils peuvent y poursuivre leurs études ou y trouver plus facilement un emploi. Beaucoup préfèrent vivre en ville. La vie est plus agréable pour eux et les ressources y sont plus nombreuses. Le travail est dur à la campagne et ne paie pas suffisamment. De plus, on ne s'y amuse pas beaucoup.

Cependant, depuis quelques années, le déplacement de la population vers les villes semble se ralentir. A cause de la crise économique d'abord. Les régions industrielles du nord et de l'est ont des problèmes et ne créent plus d'emplois. Mais c'est aussi le vieillissement général de la population qui explique ce phénomène. La population augmente encore un peu, non parce qu'il naît beaucoup d'enfants, mais parce que les gens vivent plus vieux. Beaucoup de gens âgés, de retraités, quittent les villes pour retourner dans leurs villages ou pour s'installer dans le climat plus chaud du sud de la France...

Emission 19

Exercice n° 26 – Les frontières de la France

La France fait environ 1 000 kilomètres du nord au sud, et 1 000 kilomètres dans sa plus grande largeur. Elle a la forme d'un hexagone, une figure géométrique à six côtés, avec ses trois frontières terrestres et ses trois frontières maritimes.

Ses frontières terrestres la séparent : au nord, de la Belgique, du Luxembourg et de l'Allemagne ; à l'est, de l'Allemagne, de la Suisse et de l'Italie ; au sud, de l'Espagne.

La France a 57 000 kilomètres de côtes. A l'ouest, elle est bordée par la mer du Nord et par la Manche qui la sépare de l'Angleterre, et par l'océan Atlantique. La mer Méditerranée lui sert de frontière maritime au sud.

Ses ports principaux sont, par ordre d'importance, Marseille sur la Méditerranée, le Havre sur la Manche, Nantes, Saint-Nazaire et Bordeaux sur l'océan Atlantique.

Emission 20

Exercice n° 30 – Comment mangent les Français ?

Le stéréotype du Français qui va faire ses courses tous les jours chez les petits commerçants de son quartier, qui prend un petit déjeuner et deux repas copieux par jour, en famille, qui mange beaucoup de pain et boit beaucoup de vin, est de moins en moins vrai. En effet, les habitudes alimentaires des Français ont beaucoup changé depuis une dizaine d'années...

Les Français se préoccupent de plus en plus de leur alimentation. Ils choisissent leurs aliments avec plus d'intérêt et d'attention qu'avant. Ils consomment beaucoup moins d'aliments trop riches : graisses, charcuterie, sucres, légumes secs, vin... Ils achètent plus de produits frais en général, plus d'aliments sains : fruits, légumes verts, lait, graisses végétales.

Ils vont de plus en plus dans des supermarchés faire leurs courses pour toute la semaine. Ils ne font pas confiance aux aliments déjà préparés, aux repas tout prêts qu'on réchauffe au dernier moment.

Ils respectent de moins en moins la tradition du repas en famille, deux fois par jour. Beaucoup prennent leur déjeuner sur leur lieu de travail. Beaucoup disent sauter un repas ou manger seuls de temps en temps. De plus, la plupart mangent moins et les repas d'aujourd'hui ne comportent plus hors d'œuvre, plat de résistance, salade, fromage et dessert, et cela à midi et le soir, comme c'était l'habitude autrefois.

On n'a souvent qu'un plat unique et on évite la nourriture trop abondante ou trop riche...

Mais, en même temps, les Français restent attachés aux plaisirs traditionnels de la table. Ils déclarent aller souvent au restaurant et passer du temps à cuisiner des « petits plats »... pour le plaisir.

Emission 21

xercice n° 30 – Les Français et la voiture

epuis une centaine d'années que la voiture existe, les Français sont attirés par elle. L'amour de la belle voiture tait même une passion pour beaucoup avant la montée des prix des voitures, de l'essence, des autoroutes, des axes diverses et des amendes, et la limitation de la vitesse. Il y a de quoi, il est vrai, refroidir l'enthousiasme !
ependant 61 % des Français disent encore que conduire est un plaisir. Ce qui les fait rêver, c'est d'abord le conort, puis la beauté de la carrosserie et, en troisième position seulement, les performances.
y a en France 380 voitures pour 1 000 habitants : 20 % des Français seulement n'ont pas la possibilité, l'utilité, envie ou les moyens d'utiliser une voiture. C'est dire que la voiture s'est considérablement démocratisée et qu'elle ait maintenant partie du mode de vie comme le réfrigérateur ou la télévision.
n France, comme dans les autres pays industrialisés du monde, on peut véritablement parler d'une « société de automobile » au XXe siècle.

Emission 22

xercice n° 27 – Le Tour de France

e cyclisme est le deuxième sport en France, après le football. Cela est dû en grande partie au prestige du Tour e France. Créé en 1903, le Tour est toujours aussi populaire. Chaque année au mois de juillet, il attire 15 millions e spectateurs qui vont voir passer « les géants de la route » pour les encourager.
e Tour compte de 180 à 200 participants, répartis en une vingtaine d'équipes, équipes nationales ou équipes patronées par une marque de cycles. La Colombie, pays où le cyclisme est si populaire, a envoyé une équipe pour la remière fois en 1983. On attend maintenant la participation du Japon et des pays de l'Est.
y a même maintenant un Tour de France féminin, mais sur un circuit plus court (991 kilomètres).
endant trois semaines, la caravane du Tour, une véritable ville en déplacement sur les routes de France avec es 2 000 personnes, parcourt les 4 000 kilomètres de « la grande boucle ». Parmi eux, il y a 500 journalistes venus e tous les pays. L'arrivée à Paris, sur les Champs-Elysées, est diffusée en mondiovision pour des dizaines de nillions de spectateurs !

Emission 23

xercice n° 28 – Les parcs naturels

a fallu attendre les années 60 pour assister à la création de parcs naturels destinés à protéger les animaux et es plantes menacés par les excès de la civilisation industrielle.
existe actuellement, en France, six parcs nationaux qui couvrent seulement 0,7 % du territoire national. Le prenier créé, le parc de la Vanoise dans les Alpes de Savoie, date de 1963. Ces parcs sont des musées, des sanctuaies, créés dans des zones inhabitées, zones bien rares en France !
'est pourquoi ont été organisés parallèlement des parcs naturels régionaux, au nombre de 23 actuellement, vases espaces où la nature est protégée, mais qui sont ouverts à tous, simples visiteurs, sportifs et scientifiques. s couvrent 4,5 % du territoire et contiennent des réserves d'animaux et de plantes. Ils offrent également la possiilité de pratiquer de nombreux sports, ski, descente de rivière en canoë-kayak, alpinisme, équitation, plongée ous-marine, etc. De plus, ces parcs servent à redonner vie à des activités traditionnellement rurales comme l'éleage des moutons ou diverses formes d'artisanat qui étaient en voie de disparition. Enfin, on y mène des études cologiques.
ous ces parcs, dont l'accès est libre, attirent des foules de visiteurs. Pourra-t-on longtemps encore concilier la rotection de la nature et l'accueil de ces foules ?

Emission 24

xercice n° 28 – Paris, le paradis des cinéphiles

y a presque cent ans avait lieu à Paris la première représentation publique du cinématographe des frères Lumière. epuis ce jour, Paris est resté le paradis des amoureux du cinéma.
a fréquentation des salles a diminué depuis une vingtaine d'années, c'est vrai. Voir les films à la télévision ou n vidéo, c'est plus commode et moins cher ! Mais Paris compte encore plus de 400 salles, alors qu'il y en a à eine plus de 200 à Londres, à Tokyo et à Moscou, et seulement 100 à New York !
es amateurs parisiens de cinéma ont trois quartiers de prédilection, les Champs-Elysées, Montparnasse et le uartier latin, quartiers ou les salles sont les plus nombreuses et où se rencontrent producteurs, cinéastes et acteurs. nfin Paris possède la cinémathèque la plus riche du monde avec plus de 25 000 films ! Paris restera longtemps ncore la capitale du cinéma !

Table des matières

Imprimé en France par Ouest Impressions Oberthur à Rennes en février 1992 - N° 12578
Dépôt légal n° 6829-02/92 - Collection n° 28 - Édition n° 04

16/4695/1